Le Resquilleur du Louvre

The Squatter in the Louvre

by

Bernard Chenez

Series Editor
Gerald Honigsblum PhD

Annotation by
Gerald Honigsblum PhD
Dianne G. Green

Art Notes by
Daniel Lesbaches

A NOVEL IN THE ORIGINAL FRENCH
WITH A FRENCH-ENGLISH GLOSSARY

LINGUALITY ❧ CAMBRIDGE

ISBN-13: 978-0-9795037-2-6
ISBN-10: 0-9795037-2-8

Original novel published in France by Éditions Héloïse d'Ormesson

10 9 8 7 6 5 4 3 2 1

Preface to the Annotated Edition

Le Resquilleur du Louvre is an enigmatic and affecting book. In it author Bernard Chenez manages to convey a great deal with an economy of words, much like a Matisse drawing in which every line is so evocative that detail seems superfluous. Writing in the stream-of-consciousness style of James Joyce's prose poems, Chenez sets down the mental wanderings of a solitary homeless man who sneaks into the Louvre to get out of the pouring rain. This "gate-crasher" (one translation for *resquilleur*) finds an out-of-the-way storage room where he decides to take up residence, saying "Je cherche un abri d'âme." The sight of the *Winged Victory of Samothrace* gives him hope that the Louvre will provide that shelter for his soul. If a battered, headless statue, held together with wires and staples, can become the symbol of a glorious institution like the Louvre, he reflects, perhaps it can inspire a person beaten down by life to recover the will to live. In deciding to extend his unauthorized visit, he becomes a "squatter," another possible translation of *resquilleur* and the one we have chosen to use in the title of the book.

We learn that as a child the protagonist had sought solace in the provincial museum in his hometown. "J'ai tout aimé," he says. Impressionist landscapes, somber portraits, elaborately molded and decorated pottery, suits of armor, all carried him away on a sea of escape from a drab and joyless existence. He admits ruefully, "Je me croyais adulte," implying that the flights of imagination he experienced as a child, however mature he thought them at the time, were in fact unsophisticated compared to the deeper appreciation for art he now has, honed by his life on the margins of bourgeois society. It is hard to overlook the irony that a similarly unconventional life is frequently sought by artists—and, more often than not, even celebrated by them.

As if to emphasize this outsider status, the protagonist is drawn to lesser-known artists, whose works, in his eyes, are as sublime as those of the great masters. We learn of his particular affinity for the work of Jean-François Millet (1814–1875), whose paintings hang in both the Louvre and the musée d'Orsay. Millet was a member of the celebrated Barbizon School, which broke with academism and its idealized depictions of antiquity and great historical events. The Barbizon painters viewed nature as a central subject, not just a backdrop. Painting in the town of Barbizon, at the edge of the forest of Fontainebleau, Millet and his fellow artists sought a retreat from the corrupting influences of life in Paris and a return to the purity of country living. Millet's paintings primarily portray rural life, infusing peasants and farmers with an unsentimental nobility that previously had been reserved for religious and historical subjects.

"À toute vie répond une œuvre d'art," the author writes. But the way in which each viewer responds to a painting depends on his circumstances and the perspective he brings to the viewing. Some might look at Millet's laborers and wish for a return to a simpler time and a life closer to the earth. Our *resquilleur*, however, doesn't idealize the peasants depicted in Millet's works. He sees the harshness of their lives and infers a certain resentment, perhaps much like his own. This SDF (*sans domicile fixe*, a euphemism for homeless street bum) understands subsistence living and knows from first-hand experience that little comfort is offered to the disenfranchised, whether they be 19th-century peasants scratching out a living from the land or 21st-century factory workers trying to survive on the streets after their jobs are eliminated.

The implicit sense of one person's insignificance is exacerbated by the story's setting in the Louvre, surely the grandest repository of art in the world. When confronted by centuries of artistic genius, our own accomplishments can seem woefully inconsequential. Most of us, however, have family, work, and friends to give us some sense of self-worth; this story offers an opportunity to feel the profound insecurity of someone whose exclusion from society is all-encompassing. The *resquilleur* finally dares to cross the threshhold into a restricted area because he has nothing to lose, and in so doing gives us a glimpse into the elite world of a great museum, its treasures, its daily life, its power, its exclusivity. Through him, we experience something of what it would be like to have this glorious institution all to ourselves, unconstrained by jaded guides, crowds of tourists, and limitations of time.

Lately the Louvre has taken some steps toward democratization, building satellite exhibition spaces in the northern city of Lens, adjacent to a major sports facility, and in Abu-Dhabi, under the direction of esteemed architect Jean Nouvel. It has signed a three-year agreement with the High Museum in Atlanta, Georgia, to provide a series of exhibitions of works not often seen outside of France. And in an unprecedented move, it allowed the producers of the film version of *The Da Vinci Code* to shoot several scenes in the galleries, bowing to the phenomenal international success of the novel, which has spawned its own tourist industry in Paris. We hope that by making this poignant story accessible to English-speaking readers, we are contributing in a small way toward the Louvre's efforts to open its doors a little wider.

The author of *Le Resquilleur du Louvre*, Bernard Chenez, is an artist and long-time illustrator for *L'Équipe*, the sports daily that is the most widely read newspaper in France. He has enthusiastically supported Linguality's efforts to bring his first novel to a broader audience, even going so far as to provide a series of sketches to illustrate this edition. The insights he provides in the interview included on CD in this volume are fascinating, and we thank him for his gracious cooperation. In addition, we are deeply grateful to Daniel Lesbaches, a friend, colleague, gentleman, and scholar, whose notes on the artists and paintings referred to in the book greatly enhance the experience of reading this short, but multilayered, novel. We hope you find this book as moving and thought-provoking as we have.

Bonne lecture!

GH

Du même auteur,
mais dessiné de la main droite

Aux Éditions Balland
Dessins du journal Le Monde, 1977.

Aux Éditions Ramsay
Intrépide Europe, 1979.

Aux Éditions du Sauvage
Salut Marcel !, 1985.

Aux Éditions Denoël
J'essaierai de faire mieux la prochaine fois !, 1989.
L'important c'est de gagner !, 1990.
J'agace, 1991.
Tous épinglés, 1991.
À la limite du hors-jeu, 1992.
Durs métiers, 1993.
Impressions japonaises, 1993.
Fin de parties, 1994.
Enfin titulaire !, 1995.

Aux Éditions Hors Collection
L'Année des gagneurs, 1996.
Mon beau Papin, 1997.
Le Meilleur est à venir, 1997.
Une année bien chargée, 1998.
Vive le sport !, 1999.
La Forme olympique !, 2000.
Ça vaut le détour, 2001.
La France d'en haut et les bleus d'en bas, 2002.
Grands Stades !, 2003.
Tous gagnants, 2004.

Bernard Chenez

Le Resquilleur du Louvre

Roman

*« Passano le nuovole,
ma il cielo resta sempre li. »*

Clouds pass, the sky remains.
Italian proverb

EDITOR'S NOTE

The narrator describes the wet cold experienced by street people, the so-called SDFs (sans domicile fixe = *without a permanent address), an acronym that frequently crops up in political discourse.* La flotte *is argot for "water," and it's everywhere. The narrator feels like a stray dog in a cold so bitter it penetrates the bones. He is haunted by harsh childhood memories: the early death of his father, of school chums, and of the poverty that ran in his family and his small town, a village frequently buffeted by high winds and rain.*

The bridges of the Seine often serve as makeshift refuges for the destitute. The narrator is seeking better shelter when he crosses the Pont des Arts, a pedestrian bridge spanning the Seine between the Académie française on the Left Bank and the Louvre on the Right Bank. Of these two elite bastions of the French Establishment, it is the Louvre that beckons to him.

Sous la pluie, les pauvres se noient à la verticale

In the rain, poor vagrants drown standing up

J'ai beau renifler   *in effect:* No matter how much I sniff

ça coule   it runs

Qu'est-ce qu'on peut être solidaire   Man, you sure can like

morve   snot

pourvu qu'elle tienne chaud   provided it keeps you warm

J'enfonce   I thrust/jam

col de ma veste   collar of my jacket

me prends à rêver   start hallucinating

barbe qui pousse   my stubble of a beard

J'ai de la flotte partout   There's water everywhere

me prend dans le dos   catches me in the back

il me faut attendre   I have to wait

haché menu qu'il était   finely chopped as it was (the wire meshing of the bridge sides looked like chopped steak)

Du fil de fer en rangs serrés   Of iron strands in tight rows

Concorde   the famous *place*, the largest in Paris, just west of the Louvre. In winter, the west wind blows cold and damp from the ocean.

Machinalement   Mechanically, Automatically

j'ai déjà l'esprit insulaire   I already feel like I'm on a windswept island

J'ai soldé mon compte d'avec les vivants   I've settled my account with the living

mis à la boutonnière mes morts   watched family and friends die (the bereaved wears a boutonnière at a funeral)

médaillé mes légions de douleurs   decorated for my legions of wounds, a pun on the prestigious Légion d'honneur

mômes   kids, both male and female

raide   stiff

potage de la cantine   dining hall soup

s'étalent sans prévenir   fall flat on their faces without warning

tartines   (slices of) buttered bread

du quatre heures   at tea/snack time; *literally:* of four o'clock

Un peu que j'en ai un   For all I ever had one

bombais le torse   thrust out my chest

crêpe noir   black crepe fabric

au revers de mon blouson   on the lapel of my jacket

6

J'ai beau **renifler** de partout, **ça coule** toujours. **Qu'est-ce qu'on peut être solidaire** de sa **morve, pourvu qu'elle tienne chaud** ! **J'enfonce** la tête dans le **col de ma veste, me prends à rêver** que la **barbe qui pousse** elle aussi tient chaud. **J'ai de la flotte partout.**

Le froid **me prend dans le dos.** Et **il me faut attendre** encore que toutes ces voitures s'arrêtent pour traverser. Le pont des Arts. Le plus beau pont de Paris, mais là, **haché menu qu'il était. Du fil de fer en rangs serrés,** du ciel du matin à la Seine du soir. Le vent vient de la **Concorde.**
Glacial.
Machinalement, je tourne la tête dans sa direction. Les chiens font souvent ça. Ce pont, cette pluie, **j'ai déjà l'esprit insulaire.**

Je ne sais même plus si ça vient de la Concorde. Ça vient de plus loin… **J'ai soldé mon compte d'avec les vivants** depuis longtemps, **mis à la boutonnière mes morts,** et **médaillé mes légions de douleurs.** Des morts de **mômes,** de celles qui tombent **raide** dans le **potage de la cantine,** ou **s'étalent sans prévenir** sur les **tartines du quatre heures.**

« Un père ? **Un peu que j'en ai un** ! La preuve : il est mort. » Je **bombais le torse,** un large **crêpe noir au revers de mon blouson,**

persuadé de rendre jaloux *here:* determined to make jealous
croisaient crossed
La flotte redouble It starts raining harder
me gesticuler le nombril to fidget with my navel (a gesture one makes
    when very cold)
parcouru la moitié du pont gotten halfway over the bridge

persuadé de rendre jaloux ceux qui **croisaient** mon chemin.

La flotte redouble, je suis là à **me gesticuler le nombril**, à perdre du temps, et j'ai pas encore **parcouru la moitié du pont**.

C'est là tout mon souhait :
en prendre moins sur la gueule

All I want: to take less on the chin

Foncoln par Colla
PARIS 1853

cavale rush

bouffe *literally:* gobble down

m'engouffre huddle

porche archway

je m'accroche I cling to

réverbère street lamp

gravé engraved

a coulé cast

l'a foutu ici stuck it here

étroite et sale narrow and dirty

sent déjà le vigile already has the smell of a guard post

maintenant y a now there's

commissariat de police police station

Faut pas trop laisser courir l'affectif Let's not get all mushy

Je dégage I clear out

enquille tout droit make a beeline straight ahead

débouche come out

taille en biais cut through

Ça y est ! There!

flotte floats

sidéral astral, sidereal

combine scheme

je l'avais gambergée I'd dreamed it up

odeurs de pisse smells of urine

m'avaient enlevé toute envie had taken away any desire I had

négocier *here:* to wrangle

abri shelter

SNCF Société nationale des chemins de fer français, French railroad authority

vieille caisse old jalopy

haute high (on its chassis)

couche bed

à peu de choses près semblables more or less similar to

sur mesure custom made

je garde I keep

souvenir orgueilleux proud memory

petite main lowly seamstress (sewing a haute couture dress)

conserve retains

clandestinement essayée secretly tried on

Je **cavale, bouffe** le quai du Louvre et **m'engouffre** sous un **porche**. La première chose à laquelle **je m'accroche**, c'est un **réverbère**. « Fondu par Calla en 1853 ». C'est **gravé** dessus, à hauteur de mes yeux. C.A.L.L.A. 1853. Si Calla **a coulé** un réverbère et **l'a foutu ici**... Je me sens moins seul... J'en relève la tête. En face : Bureau de la Conservation du Musée. La porte, **étroite et sale**, sent déjà le vigile. Y avait Calla, **maintenant y a** comme un **commissariat de police. Faut pas trop laisser courir l'affectif. Je dégage, enquille tout droit, débouche** sur les pavés de la Cour carrée, **taille en biais** à gauche, et m'engouffre sous le pavillon de l'Horloge. **Ça y est !** Je vois la pyramide ! Un truc qui **flotte** dans l'espace **sidéral**. Un vaisseau spatial éternel. Voilà ce qu'est le Louvre, voilà ce qu'est la peinture, rien d'autre.

La **combine, je l'avais gambergée** depuis la fin de l'été dernier. Les soirs d'**odeurs de pisse** aux abords des gares **m'avaient enlevé toute envie** de **négocier** un **abri** avec la **SNCF**... Je me souviens avoir dormi sous une voiture. Une **vieille caisse haute** sur ses suspensions. Les dimensions modestes de cette **couche** étaient **à peu de choses près semblables** à celles de son occupant. Une pauvreté **sur mesure** en quelque sorte. Et **je garde** de cette unique nuit le **souvenir orgueilleux** qu'une petite main **conserve** d'une robe de haute couture **clandestinement essayée**.

une à une one by one

marche step

prends possession du dernier degré take ownership of the last step

suffisance self-importance, arrogance

contemplant looking at

avant de s'y asseoir before sitting down

tribune d'honneur VIP stand

Je sèche à vue d'œil I am drying off before your very eyes

à l'envers inside out

d'en dedans from inside

comptoir d'informations information desk

autel altar

preuve tangible tangible proof

Je ne vois qu'ors et pourpres manteaux I see nothing but gold and crimson coats

judatesque Judas-like, *i.e.*, ready to betray any suspect to the authorities

j'absoudrais I would absolve

béate existence blissful existence

s'annonce bien is off to a good start

Je me mets en devoir de faire le tour I set about taking a spin around

propriétaire property

Denon s'offre à moi Denon (Wing) gives itself over to me

muni armed with

crâneur (like a) show off

contre une carte bancaire volée for a stolen credit card

statut de faux status of a fake person

exclure rule out

authentique conviction look of real conviction

contrôleurs badgés attendants with badges

Anubis creatures in Egyptian mythology that resembled man-dogs. Sculptural representations of these creatures frequently guarded the entrances to Egyptian tombs.

assoupis dozing

pâles répliques pale replicas

J'avale... escaliers mécaniques I run up... escalators

me retrouve nez à nez find myself face to face

figés dans son propre sang frozen in his own blood

barboter *here:* splashing around

on ne me fera pas aux pattes I won't be caught dead; *literally:* won't get my (own) feet caught

Je saurai me rendre invisible I will know how to make myself invisible

14

Je descends **une à une** chaque **marche** de l'escalier du grand hall, et **prends possession du dernier degré** avec la **suffisance** du notable **contemplant**, **avant de s'y asseoir**, sa place réservée à la **tribune d'honneur** du Parc des Princes…

Je sèche à vue d'œil.

La pyramide du Louvre est une église **à l'envers**. Toute la lumière sort **d'en dedans**… Le **comptoir d'informations** devient l'**autel**, chaque Japonaise me semble une icône, et la multiplication de celles-ci m'assure de la **preuve tangible** du message biblique. **Je ne vois qu'ors et pourpres manteaux** ! Et sans le regard **judatesque** d'un surveillant, **j'absoudrais** la pieuse assemblée de sa **béate existence**. La journée **s'annonce bien**.

Je suis sec.

Je me mets en devoir de faire le tour du **propriétaire**. **Denon**[1] **s'offre à moi**, et **muni** d'une fausse carte des Amis du Louvre, que j'ai échangée il y a quelques semaines, **crâneur**, **contre une carte bancaire volée**, je passe sans un regard (le **statut de faux** ne doit jamais **exclure** une **authentique conviction**) entre deux **contrôleurs badgés**, **Anubis assoupis**, **pâles répliques** de leurs illustres prédécesseurs égyptiens. **J'avale** trois petits **escaliers mécaniques** et **me retrouve nez à nez** avec Sénèque[2], les pieds **figés dans son propre sang**. Voir ce vieux philosophe **barboter** dans son suicide est un message bien clair. Mais moi, **on ne me fera pas aux pattes** ! **Je saurai me rendre invisible.** Je

---

1. Denon is the wing named after Dominique de Vivant Denon (1747–1825) who directed the Louvre from 1802 to 1815. He was appointed to the post by Napoleon I, whom he had escorted during the Egyptian campaign. It is the south wing of the Louvre, along the Seine, and houses the French and Italian painting collections.

2. The narrator is suddenly in front of *La Mort de Sénèque*, a painting by Claude Vignon (1593–1670). The *resquilleur* identifies with the stoic philosopher and Nero's tutor (4 B.C.–A.D. 65), ordered by the emperor to kill himself. This self-sacrifice is immortalized in the painting, showing Seneca soaking his feet and splashing in his own blood.

adhérer à un quelconque complot to join some plot

réseau de résistance resistance network

marchands d'aujourd'hui today's merchants

abri d'âme shelter for the soul

Traverser To pass through

bordée de sarcophages en pierre lined with stone sarcophagi

placée en haut installed up high

m'interdit forbids me

Il ne s'agit pas d'avoir peur No reason to be afraid

de jour during the day

craintes fears

errements de nuit nocturnal transgressions

venue arrival

je n'ai qu'à suivre all I have to do is follow

isolée sur son socle alone on its pedestal

Salon carré the Square Salon (housing 13th–15th-century Florentine paintings)

Périphrase Circumlocution

dorures gildings

stuc stucco

banquettes benches

lyres inversées inverted lyres

retiennent hold

Elles sont posées They were placed

tuyaux pipes

emmanchés *in effect:* fitted one inside the other

gisant lying horizontally

Il sera aisé de se glisser sous It will be easy to slip under

se blottir sous to nestle under

ramper sous to crawl under

gagner la sortie to get to the exit

Terrier possible le soir venu A possible burrow when night comes

ne viens pas ici **adhérer à un quelconque complot**, activer un **réseau de résistance** opposé à l'art d'hier ou aux **marchands d'aujourd'hui**. Je viens seul.

Je cherche un **abri d'âme**. C'est tout.

Traverser la galerie Daru[1], **bordée de sarcophages en pierre**, est une simple formalité. Une caméra **placée en haut** à gauche de la huitième marche de l'escalier monumental de la Victoire de Samothrace[2] **m'interdit** l'accès à la galerie des mosaïques située, elle, à ma droite. **Il ne s'agit pas d'avoir peur, de jour**, mais bien d'anticiper les **craintes** de mes **errements de nuit**. Quarante-cinq marches plus haut, Samothrace reste indifférente à ma **venue**, et **je n'ai qu'à suivre**, **isolée sur son socle**, une main de pierre amputée de trois doigts pour faire mon entrée dans le **Salon carré**.

Colossale allégorie ! **Périphrase** de **dorures** et de **stuc** ! Trois petites **banquettes** en forme de **lyres inversées retiennent** mon attention. **Elles sont posées** là de façon aussi incongrue que trois **tuyaux emmanchés** les uns dans les autres **gisant** au milieu d'un boudoir. **Il sera aisé de se glisser sous** la première, de **se blottir sous** la deuxième, de **ramper sous** la troisième pour **gagner la sortie**.

Terrier possible le soir venu.

---

1. The Daru Gallery, named after Napoleon's quartermaster of the Grande Armée, is located on the ground floor of the south wing of the Louvre. Originally conceived as a sculpture gallery for Salon artists, its design is simple, with large arched windows and a floor pattern utilizing several different types of marble. The sides of the gallery are lined with Roman statues and sarcophagi, as well as marble sculptures from the collections of Cardinal Richelieu and the marquis of Campana.

2. The *Winged Victory of Samothrace* has stood at the top of the Daru staircase since 1884. The statue was discovered on the Greek island of Samothrace in 1863 by French consul and amateur archaeologist Charles Champoiseau. Sixteen years later, its base, in the form of a ship's prow, was found in pieces, reassembled on site, and later shipped to Paris. The right wing of the statue is a symmetrical plaster version of the original left wing. Dating from 220 to 190 B.C., the statue is a masterpiece of the Hellenistic style, celebrated for the exquisite rendering of its draped robe, which appears to be rippling in a strong breeze.

médaillant decorating

m'aguiche entices me

Ça distrait l'œil It distracts the eye

foules masses, droves

ribambelles swarms, crowds

se tenant l'auréole bearing haloes

déguisés disguised

supporters sports fans

calcio (*Italian*) soccer

Y a que (= *Il n'y a que*) It's just

maillots jerseys

l'urgence va au pratique it's urgent to tend to practical matters

intendance housekeeping

appel d'air draft

aspérités protrusions

salamalecs bowing and scraping

la Joconde the *Mona Lisa*

ne sont pas de mise are not on the agenda

Je glisse I slide

trois cent quatre-vingt-quinze pas three hundred ninety-five steps

pour me retrouver in order to find myself in

placée au bout de placed at the end of

marelle géante giant hopscotch

pompe pomp

pouvoir power

Rien que du lisse Nothing but smooth surfaces

inutile useless

pelote ball (of yarn). The English word "plot" comes from the French
and means "the sequence of events" or "scheme," as in "the plot
thickens." "Yarn" also can be used to mean "story, tale." Too, English
has adopted "dénouement" meaning the resolution of a plot, *i.e.*, the
plot becomes "unknotted."

se déroule unrolls

nœuds knots; *la pelote se déroule sans nœuds* = it came off without a hitch

cavaler to rush around

pavillon de Flore gallery housing Gothic art of the 13th and 14th
centuries

Bien sûr, l'envie de regarder tous les tableaux **médaillant** ce salon **m'aguiche** un peu. **Ça distrait l'œil**, ces **foules** de petits Jésus, ces **ribambelles** de Maries **se tenant l'auréole, déguisés** en **supporters** du Dieu Unique. L'Italie du **calcio. Y a que** les noms sur les **maillots** qui changent : Baldovinetti[1], Botticelli[2], Gozzoli[3], Vinci[4]... et Raphaël[5]...

Mais **l'urgence va au pratique**, à l'**intendance**.

La Grande Galerie[6], c'est un **appel d'air**, un tuyau sans **aspérités**. Les **salamalecs** de la **Joconde ne sont pas de mise. Je glisse trois cent quatre-vingt-quinze pas pour me retrouver** salle 12, dont la forme rectangulaire **placée au bout de** la Grande Galerie donne à l'ensemble l'allure d'une **marelle géante**. Bon. Puis la salle Médicis[7] : encore de l'immense, de la **pompe** et du **pouvoir. Rien que du lisse** où il est bien **inutile** de chercher refuge. La **pelote se déroule** sans **nœuds**. Je vais pouvoir **cavaler** ainsi jusqu'au **pavillon de Flore**...

---

1. Alesso Baldovinetti (c.1426–1499), an Italian Renaissance painter of the Florentine School, was also one of the leading mosaicists of his time. His *Madonna* hangs in the Louvre.

2. Sandro Botticelli (1445–1510) was a Florentine Renaissance painter whose work is characterized by feminine grace, delicacy, and an emphasis on line. Seven of his paintings hang in the Salon Carré of the Denon Wing, including his *Virgin and Child with the Young St. John the Baptist*.

3. Benozzo di Lese Gozzoli (c.1421–1497) was an Italian Renaissance painter of the Florentine School best known for his frescos in the chapel of the Medici Palace. His *Triumph of St. Thomas Aquinas* hangs in the Salon Carré.

4. Leonardo da Vinci (1452–1519). In addition to the *Mona Lisa*, four of da Vinci's paintings hang in the Louvre.

5. Raffaello Sanzio (1483–1520) is one of the most famous painters of the high Renaissance. The Louvre owns a number of Raphaels, including a self-portrait.

6. The Grande Galerie, the largest room in the Louvre, has 400 square meters of open space; it houses the Italian and French paintings of the Denon Wing.

7. The vast expanse of the Salle Médicis is located one floor up in the Richelieu north wing. It houses 24 works painted by Rubens between 1622 and 1625, highlighting the grandeur, pomp, and power of the court of Queen Marie de Médicis, wife of Henri IV.

fiches blanches cartonnées pieces of white cardboard
anéantissent destroy, wreck
se poursuivent are continuing
a tagué la suite scribbled graffiti on the rest
la rendant illisible making it illegible
veine luck
l'art bouge the art is moving
lot de bien des loqueteux the fate of many a down-and-out person
Je remonte le courant I'm swimming upstream/against the current
j'adresse un clin d'œil I wink at
faudra me faire crédit you have to trust me
proches voisins close neighbors
pour que j'ignore for me not to know
tes manières your ways
tu t'offusques de mes frasques for you to be offended by my escapades

Je refais donc le chemin à l'envers *in effect:* I retrace my steps
redoubler une classe of repeating a grade in school
J'enfile I slip into
y festoient is feasting there
je n'y trouve rien à redire I find nothing wrong with that
Se sent-on Does one feel
coupable guilty
ses propres pas his own steps

cotée en Bourse traded on the Stock Exchange
de devoir de l'argent of owing money
sacre coronation
n'est...qu'un tribunal is nothing but a court (of justice)

Rien !

Deux petites **fiches blanches cartonnées anéantissent** mes plans. Titre : *Salles fermées pour travaux*. Sous-titre : *Les travaux du Grand Louvre[1] se poursuivent dans le Musée jusqu'en…*Un inconnu **a tagué la suite, la rendant illisible**. C'est bien ma **veine, l'art bouge**. Je me retrouve clandestin itinérant. C'est là, somme toute, le **lot de bien** des **loqueteux. Je remonte le courant, j'adresse un clin d'œil** à la Joconde : «Toi, ma vieille, **faudra me faire crédit**. On va être trop **proches voisins pour que j'ignore tes manières**, et que toi, **tu t'offusques de mes frasques**. »

Je refais donc le chemin à l'envers. Douloureuse impression de **redoubler une classe. J'enfile** sans conviction la salle des États. Les Noces de Cana[2] **y festoient** sans moi, et **je n'y trouve rien à redire. Se sent-on** si souvent **coupable** d'entendre l'écho de **ses propres pas** ?

Après la galerie Daru, l'escalier Daru, c'est maintenant la salle Daru. Imposante et froide comme une multinationale **cotée en Bourse**. J'ai l'impression **de devoir de l'argent** à tout le monde, et tout le monde s'appelle Daru. Le **sacre** de Napoléon peint par David[3] **n'est**, sur dix mètres de long et six de haut, **qu'un tribunal** de courtiers vindicatifs :

---

1. In 1981, the name "Grand Louvre" was given to an ambitious plan to renovate and expand the museum complex and adjacent Tuileries Gardens. The project, including I. M. Pei's pyramid and a massive underground shopping mall, was one of the major urban initiatives launched by President François Mitterrand.

2. The giant *Marriage Feast at Cana* by Veronese (c.1528–1588) hangs in the Salle des États, across the way from the much smaller *Mona Lisa*. The number of visitors to each is inversely proportional to their dimensions. In the former, exuberant crowds partake in the biblical scene (John 2, 1–11) depicting the Wedding at Cana and Jesus miraculously turning water to wine. Veronese transforms the scene into a wild Venetian feast with 132 guests, including all the rich and famous of his time. He even places himself among the musicians, front center. A frequent subject for other artists, this *Wedding at Cana* is surely the best known. Da Vinci supposedly painted one, too, but his work was either lost or destroyed.

3. Jacques-Louis David (1784–1825) was the preeminent French painter of the First Empire. During that period, he painted a number of canvases that glorified the exploits of Napoleon. The sheer size and ambition of this particular neoclassical masterpiece can leave passing visitors speechless.

Écrabouillé Crushed

en lambeaux in rags/tatters

L'ayant contournée tête basse Having gone around it with my head down

je n'ose relever le regard I don't dare look up

qu'une fois derrière elle except once behind

envergure de ses ailes wingspan

tient essentiellement à is essentially held together by

grossier rafistolage crudely fashioned makeshift repair

barres de fer et de boulons iron bars and bolts

envol takeoff

si unanimement plébiscité so unanimously supported

prothèse prosthesis

il n'en faut pas plus it doesn't take any more

se requinquer le moral to perk up your spirits

Qu'elle m'ait laissé entrevoir That she let me catch a glimpse of

boitant de l'aile with a wing impaired

tête de gondole *here:* head of the aisle, a reference to the display of featured products at the head of a supermarket aisle

amoché du cœur with my heart bashed up; *moche* = homely

de reconquérir ici to recover here

l'envie d'exister the will to live

22

Daru ! Daru ! Daru ! **Écrabouillé**, je repasse **en lambeaux** devant la Victoire de Samothrace. **L'ayant contournée tête basse, je n'ose relever le regard qu'une fois derrière elle.** Je m'aperçois alors que l'**envergure de ses ailes tient essentiellement à** un **grossier rafistolage** de **barres de fer et de boulons**, et que son **envol si unanimement plébiscité** naît de cette **prothèse** rudimentaire. Parfois, **il n'en faut pas plus** pour **se requinquer le moral. Qu'elle m'ait laissé entrevoir** ses faiblesses me donne encore raison d'espérer… Si elle, décapitée et **boitant de l'aile**, se retrouve **tête de gondole** au Louvre, j'ai une chance, solitaire et **amoché du cœur, de reconquérir ici l'envie d'exister.**

Je parcours les quais d'un océan de pierre

I walk along the banks of an ocean of stone

4 JANVIER 95

j'ai couru, avalé le grand escalier ou trône la victoire de Samotrace, et allé dire bonjour à la joconde. Mon travail pouvait commencé.

au fond, moi qui ne suis bien nulle part, je suis bien ici. parmi les morts. le silence des images. la grande galerie et ma première grappe de japonaises. je revis.

crues marks indicating the level of Seine risings, notably in 1910
matérialisées marked
trait line
analogue similar
Je franchis cet octroi I cross this checkpoint
geste auguste du semeur magnanimous gesture of the sower
pas altier haughty stride
saute-frontière border-hopper. *Sauter* means "to skip over," but the
    allusion is to *sans frontières*, a phrase used by several international aid
    organizations, notably Médecins Sans Frontières.

me fait l'effet makes me think of
affronter to face
traversée crossing
Première à gauche First (room) to/on the left
J'aurai tout le temps I'll have plenty of time
salles vicinales *in effect:* side rooms
flâner to stroll, wander aimlessly
signalétique identifying image
fantaisiste odd
gravé carved
rosaces roses
plafond ceiling
tout en bois sculpté all in carved wood
au-dessus du nez above my head
buffet de grand-mère *literally:* grandmother's credenza
Marrant Funny
emplacements sites
laissés libres left unencumbered
s'étale spreads
bleu foncé dark blue
oiseaux avionneurs aircraft-like birds
vont par paire go in pairs
à la rencontre to meet
barbouiller daub paint on
panneaux panels

Dans certaines rues de Paris, les **crues** de la Seine sont **matérialisées** par un petit **trait** augmenté d'une date. Un trait **analogue** marque la séparation entre les pavillons Denon et Sully. **Je franchis cet octroi** symbolique. Il y a le **geste auguste du semeur**, j'adopte instantanément le **pas altier** du **saute-frontière**.

La perspective de toutes les salles égyptiennes **me fait l'effet** d'une autoroute. Pas le courage d'**affronter** une si longue **traversée**. **Première à gauche. J'aurai tout le temps**, dans une de ces petites **salles vicinales**, de **flâner**[1] en chemin.

Je n'ai qu'à lever les yeux pour me conforter dans mon choix : la **signalétique** est **fantaisiste**. Henri II[2] est **gravé** dans trois **rosaces** du **plafond, tout en bois sculpté.** J'ai **au-dessus du nez** la vraie copie d'un **buffet de grand-mère. Marrant** aussi, dans les trois **emplacements laissés libres s'étale** un beau **bleu foncé** où des **oiseaux avionneurs vont par paire à la rencontre** de deux étoiles d'un bleu plus clair. Qui a pu **barbouiller** de façon si juvénile les **panneaux** de ce vieux plafond

---

1. The word *flâner* was made famous by poet Guillaume Apollinaire, whose book *Le Flâneur des deux rives* explores the alienation the poet feels in the face of triumphant urbanization. The phenomenon was detailed in Walter Benjamin's essay, "Paris, Capital of the 19th Century." Apollinaire also wrote a seminal essay on cubism, "Les Peintres cubistes (1913)."

2. Henri II (1519–1559) was king of France from 1547. He commissioned architect Pierre Lescot to build the new wing.

peu habitée sparsely populated

poteries pottery

se tiennent stand

derrière leurs vitrines cubiques behind their cube-shaped display
cabinets, a subtle allusion to cubism

J'en compte trois I count three of them

nus bare

cuivre copper

attire mon regard catches my eye

commandé commissioned

mis en place installed

en remplacement in replacement of

déposé taken down

qui m'est contemporaine that is contemporaneous with me

me fait une telle joie gives me such joy

je jurerais voir I could swear I saw

surgir appear

pinceaux au vent paintbrushes flying in the wind

cloison provisoire temporary partition

panneau sign

pour en interdire l'accès to forbid access

affiche displays

serrure de chantier work-site padlock

couloirs corridors

armoires de compteurs à gaz (glass) cases of gas meters

palier landing

pris en défaut caught unprepared

outils tools

ce genre d'entreprise this sort of undertaking

J'enfonce I push in

lime à ongles nail file

effilée sharpened

se bloque jams

trou carré square hole

reçoit receives

clenche de porte door latch

tour de main hand movement

Henri II ? Cette salle est **peu habitée**, quelques **poteries** antiques **se tiennent derrière leurs vitrines cubiques. J'en compte trois.** Les murs sont **nus.** Une plaque de **cuivre** brillante **attire mon regard** : « *Les oiseaux – Georges BRAQUE[1] – Plafond* **commandé** *et* **mis en place** *en 1953,* **en remplacement** *du plafond de BLONDEL[2]* **déposé** *en 1938* ». 53 ! Une date **qui m'est contemporaine !** Cela **me fait une telle joie** que **je jurerais voir surgir** le Braque en question, **pinceaux au vent** ! Le fond de la pièce est fermé par une **cloison provisoire**, mais là, pas de **panneau**, pas de gardien **pour en interdire l'accès.** Une porte, toute simple, **affiche** une **serrure de chantier**, de celles qu'on trouve souvent dans les lieux publics, **couloirs** de métro, ou **armoires de compteurs à gaz** sur le **palier** des immeubles parisiens. Je ne suis pas **pris en défaut.** J'ai sur moi les quelques **outils** nécessaires à **ce genre d'entreprise. J'enfonce** une **lime à ongles** spécialement **effilée** jusqu'à ce qu'elle **se bloque** dans la diagonale de ce **trou carré**, qui habituellement **reçoit** une **clenche de porte**, et je retrouve instantanément le **tour de main** qui a longtemps attesté de mon savoir-faire.

---

1. Painter Georges Braque (1882–1963), along with Pablo Picasso, was the founder of cubism. He also was the first living painter to produce a work in the Louvre, namely *Les Oiseaux*, on the ceiling of the Salle Henri II. Two other painters now share the honor, Anselm Kiefer and Cy Twombly. (Surnames are often capitalized in French.)

2. French artist Merry-Joseph Blondel (1781–1853) was commissioned to paint three ceilings in the Louvre. While two are still in place, his *Dispute between Minerva and Neptune on the Subject of Athens* in the Salle Henri II was removed in 1938.

EDITOR'S NOTE

Having picked the lock and gained entrance to a storage room, the resquilleur
*thinks he has escaped the commotion of waiting rooms and finally found a place
of refuge. He begins to reminisce about his childhood and his working-class
parents. To escape the drabness of his daily existence, he often fancied being a
stowaway on a ship bound for distant tropics, like Gauguin. He escaped from
reality by haunting his provincial museum, where everything in the collection
seemed magical to him. He feels that he has reached the apogee of his adventure
in a repair shop reserved during the day for craftsmen retained by the Louvre,
but empty at night.*

*Settling into his hiding place, the narrator waxes poetic and philosophical and
indulges in free-style imagery, mostly maritime. He is, after all, a native of a
maritime region, and his current nest is not unlike the berth of a ship, where
he can look out a porthole and behold rough seas or island paradises on the
horizon. This chapter echoes the poetry of Rimbaud, the precocious poet whose
drunken boat turned out to be nothing but a toy sailboat, like those launched
daily in the reflecting pool of the Tuileries Gardens, in the shadow of the
Louvre. The challenge of reading this stream-of-conscious prose is richly offset by
the depth of sentiment expressed. Allow yourself to be carried away by the ebb
and flow of the writing in this chapter, especially the second half, written in the
form of a poem structured in five tercets, with a final single verse.*

Fini le brouhaha des salles d'attente

No more hubbub of the waiting rooms

compartiment réservé reserved berth (on a ship)

plein centre right in the middle

de part et d'autre on either side

cadre frame

sans toile without a canvas

vérins d'échafaudage scaffolding jacks

caisses de belles dimensions nice-sized boxes

entrouverte opening

dépasse sticks out

manche de scie métallique handle of a metal saw

châssis de cornières metal frame

en disgrâce forsaken

Je m'en approche I approach it

deux traces rondes two round outlines

socles pedestals

dont on aurait retiré l'eau from which someone could have removed the water

où serait restée where there could have remained

danseuses étoiles principal dancers (in a ballet company)

c'est pareil quand elles dansent it's the same when they dance

tu finis par suivre you end up following

vide qu'elles dessinent autour d'elles the empty space they draw around themselves

tournés face au mur turned to face the wall

dans un ordre croissant de grandeur in increasing order of size

montrent leur cul show their rear ends

frères Ripolin a popular brand of paint. A long-running ad for the brand shows three painters writing on each other's backs.

blouse retroussée work uniform rolled up

s'acharnant à achever trying doggedly to finish off

bacchanale clandestine a secret orgy

pour soi for oneself

clés de la cambuse keys to the storeroom

fatras d'objets hétéroclites hodgepodge/jumble of sundry objects

divers outils de labeur various workmen's tools

Je m'accorde un moment de répit I give myself a moment of respite

m'accoude au hublot lean on my elbows at the porthole

amarrée moored

Le Calla The streetlamp (cast by Calla)

de mes débuts *in effect:* that I saw at first

brille déjà is still burning

J'ai maintenant mon **compartiment réservé**. Une fenêtre **plein centre**, et **de part et d'autre** un nombre important d'accessoires. Un **cadre immense sans toile**, des **vérins d'échafaudage**, trois **caisses de belles dimensions** ; de la seule **entrouverte dépasse** un **manche de scie métallique**. Il y a aussi une belle vitrine vide, montée sur un **châssis de cornières**, qui se retrouve ici **en disgrâce. Je m'en approche.**

À l'intérieur ne restent que **deux traces rondes**, sûrement deux **socles**… Un aquarium **dont on aurait retiré l'eau** mais **où serait restée** la silhouette des poissons. Les **danseuses étoiles** en tutu, **c'est pareil quand elles dansent : tu finis par suivre** des yeux le **vide qu'elles dessinent autour d'elles**…

Quelques tableaux **tournés face au mur, dans un ordre croissant de grandeur, montrent leur cul.** J'imagine les **frères Ripolin**, la **blouse retroussée**, s'acharnant à achever une **bacchanale clandestine**. L'esprit vagabonde quand on a **pour soi** les **clés de la cambuse.** À droite de la royale fenêtre, un **fatras d'objets hétéroclites, divers outils de labeur.**

Je m'accorde un moment de répit, m'accoude au hublot. La Cour carrée est bien **amarrée** vingt mètres plus bas. **Le Calla de mes débuts brille déjà**… Une belle nuit à quai peut commencer.
Tranquille.

Allongé   stretched out, lying down

berceau   cradle

courant du ruisseau   current of the stream

pommiers   apple trees

talus qui y mène   embankment that leads there

esquif   skiff

garder fière allure   maintain a proud bearing

ballotté que j'étais   tossed around as I was

tangage   pitching and tossing

J'embarquai des pleurs   I loaded tears

d'écoper   to bail out

Mieux valait   It was better

tenter le salut   to attempt salvation

dans la fuite   by fleeing

vous intiment l'ordre de revenir   order you to come back

aussière   mooring rope/line

se dénoue du cœur d'amarrage   comes unknotted from the mooring

sillage   wake

J'affrétais des jeudis sans escale   I chartered Thursdays (formerly the
   day off from school) without a port of call; *i.e.*, any free day offered
   an excuse to sail away and not come back

tout ce qui fait jaillir en moi   everything that causes to spring in me

éternisait   immortalized, perpetuated

collines du bel air   wind-swept rolling hills

autrement   otherwise

me fait quitter l'horizon   makes for a change of scenery

je franchis les portes   I walk through the doors

savaient se taire   knew to be quiet

pour m'accueillir   to welcome me

je volais   I flew

Nul recoin obscur   No obscure corner

nulle poussière, porte ou ombre   no dust, door or shadow

Je chevauchais   I rode

gauguinisais mes heures   spent my time like (Paul) Gauguin in
   Polynesia

au creux   in the hollows

toiles champêtres   landscape paintings

des far-west bucoliques   bucolic western scenes

impressionnants soleils levants   impressive sunrises

ovalisés dans leurs dorures   in heavily gilded oval frames

faïences   painted pottery

34

J'étais heureux dans la contemplation.

Allongé dans mon **berceau**, je voyais les arbres, ma mère, le **courant du ruisseau**, les **pommiers**, le **talus qui y mène**, le talus qui en descend.

Comme tous les enfants, mon **esquif** était encore amarré, et je tentais de **garder fière allure**, **ballotté que j'étais** par les colères d'un père, les frustrations d'une mère, la pauvreté des deux.

Trop de chagrins donnait trop de **tangage**. **J'embarquai des pleurs** avec une telle fréquence que je me rendis compte qu'il était vain **d'écoper. Mieux valait tenter le salut dans la fuite.**

Ceux qui restent à quai **vous intiment l'ordre de revenir**, usent de tout leur pouvoir pour reprendre l'**aussière** qui **se dénoue du cœur d'amarrage…** Dernières larmes, premier **sillage**.

J'affrétais des jeudis sans escale.

C'est ainsi que je nomme **tout ce qui fait jaillir en moi** une douceur d'été. Tout ce qui **éternisait** les beaux après-midi passés à jouer dans les **collines du bel air**. Comment définir **autrement** cette curiosité qui **me fait quitter l'horizon** chaque fois que **je franchis les portes** d'un musée ? Toutes les peintures **savaient se taire pour m'accueillir**, la plus petite œuvre était une fenêtre ouverte. Dans le labyrinthe d'une collection de province, j'avais douze ans, **je volais. Nul recoin obscur, nulle poussière, porte ou ombre. Je chevauchais** des tempêtes, **gauguinisais mes heures**, et découvrais **au creux** d'immenses **toiles champêtres des far-west bucoliques.**
J'ai tout aimé. Les habits du folklore, les **impressionnants soleils levants**[1], les sombres portraits **ovalisés dans leurs dorures**, les **faïences**

---

1. This is a clever reference to *Impression: soleil levant (Impression: Sunrise)*, the painting by Claude Monet that caused a critic to coin (derisively) the term "impressionism." The painters in Monet's group later decided they liked the name and adopted it. Today, *Impression: soleil levant* hangs in the Marmottan Museum in Paris's sixteenth arrondissement.

chichiteuses fussy
coffres de corsaires chests from corsairs
armures forcément héroïques armor inevitably heroic
me portait carried me
mer infinie infinite sea

Au hasard de vieillir As I got older
havre de paix haven of peace
j'ai tenté maintes fois I tried many times
d'accoster to dock
Autant de récifs That many reefs
j'ai échoué *here:* I ran aground
colmatant plugging up
voie d'eau soudaine sudden leak
Je me suis résolu I resolved
en haute mer on the high sea

Je me croyais adulte I thought I was an adult
marin de larmes sailor [on a sea] of tears

chichiteuses, les **coffres de corsaires**, et les **armures forcément héroïques**. Tout. J'ai tout aimé. Tout **me portait** sur une **mer infinie**.

Au hasard de vieillir, j'ai observé en silence le monde autour de moi. Cherchant dans le regard de l'un, le cœur de l'une, un **havre de paix**, **j'ai tenté maintes fois d'accoster**. **Autant de récifs** sur lesquels **j'ai échoué**, **colmatant** chaque fois une **voie d'eau soudaine**. **Je me suis résolu** à vivre **en haute mer**.

Je me croyais adulte, je suis **marin de larmes**.

EDITOR'S NOTE

In this chapter the newly settled occupant of the Louvre surveys the many tools belonging to the day-time workers. He appreciates the quality of the items he examines, surmises that they belong to skilled laborers, just as he once was before being laid off. He rationalizes that this solidarity entitles him to a few privileges, including trying on overalls that are just a little too big for him. He is delighted to find an the identification badge bearing the name François LARCIN, a perfect fit, as the appellation essentially means "French Petty Thief." The real owner of the uniform must be a family man because our squatter finds a notebook, probably the gift of a child to his dad on Fathers' Day, pink in color with little bear paws on the cover. Most importantly, he finds out M. Larcin's work schedule, so that he can be sure not to use his I.D. badge or clothes on days the other man is working at the Louvre.

Assuré de l'immobilité du lieu,
je reprends mon inventaire

Sure that the place wasn't going anywhere,
I took another inventory

devine make out

boîte de tasseaux box of brackets

appuyés *here:* stuck

fatigués worn

je me mets en devoir de les essayer I decide I have to try them on

bleu de chauffe dark-blue overalls

depuis que je l'ai quitté *in effect:* since I stopped wearing them

sied mieux better suits

Hôtesses de l'art Art attendants, a pun on *hôtesses de l'air*, flight attendants

Je passe la veste I slip into the jacket

d'une usure à ma taille fits as if I'd worn it

bougre guy, chap

accroché au revers gauche clipped to the left lapel

calepin notebook

carnet d'écolier schoolchild's notebook

recouvert d'un papier rose layette covered with pale-pink paper

se dandinent waddle

oursons d'un vert pistache pistachio-green bear cubs

écoles maternelles nursery schools

Fête des Pères Father's Day

gosses kids

empreintes fingerprints

maculant smudging

plantigrades heavy-footed creatures (like a bear)

bonhomme fellow

fait dans le lourd is on the heavy side

lestée d'une clé de treize stuffed with a 13mm wrench

boulons bolts

collier de serrage clamp

je flaire mieux le mec I'm picking up a better scent of the guy

plomberie plumbing

montage d'échafaudages mounting scaffolding

appliquée careful

serrage *here:* spacing

De la belle ouvrage (affected) Lovely work

Bottin phone book

sans que'une virgule se fasse la malle without leaving out a single comma

accroche de la cimaise affixes picture railings

échapper d'une douzaine de mètres à l'attraction terrestre *in effect:* get about twelve meters off the ground

vaut mieux pas s'emmêler les pinceaux better not get your feet caught

Je **devine** une **boîte de tasseaux appuyés** dans l'angle du mur. Des vêtements **fatigués** y sont suspendus, **je me mets en devoir de les essayer**. Le **bleu de chauffe** a pris des couleurs **depuis que je l'ai quitté** il y a dix ans… Un employé en communication a dû penser que l'azur **sied mieux** aux ouvriers du Louvre. **Hôtesses de l'art**, en quelque sorte… **Je passe la veste**. Elle est **d'une usure à ma taille**. Le **bougre** a laissé son badge **accroché au revers gauche**, un **calepin** est glissé dans une des poches extérieures. C'est un petit **carnet d'écolier recouvert d'un papier rose layette**, où **se dandinent des oursons d'un vert pistache**, comme on peut en capturer dans toutes les **écoles maternelles** pour la **Fête des Pères**. A-t-il des **gosses**, ce type ? À voir les **empreintes maculant** bon nombre de ces **plantigrades**, notre **bonhomme fait dans le lourd**. La poche gauche est **lestée d'une clé de treize**. J'explore encore. Trois **boulons** et un **collier de serrage** plus loin, **je flaire mieux le mec**. Il doit être dans la **plomberie** ou dans le **montage d'échafaudages**. Son écriture est **appliquée**. Prudente et régulière. Il ne doit pas attaquer une lettre sans avoir vérifié le **serrage** de la précédente. **De la belle ouvrage**. Il te recopierait le **Bottin sans qu'une virgule se fasse la malle**. Quand on **accroche de la cimaise** sous les plafonds de Denon, on doit bien **échapper d'une douzaine de mètres à l'attraction terrestre**, alors **vaut mieux pas s'emmêler les pinceaux** ! Son écriture, c'est pareil.

41

emploi du temps schedule

siglé abbreviated

H. Ville Hôtel de Ville, the Paris city hall

du frou-frou et du doré frills and glitter

emploi du contretemps schedule of mishaps; a pun on *emploi du temps*:

lampiste employee

d'avoir endossé ses frusques having put on his gear

me met dans la peau *in effect:* put me in the shoes [*literally:* skin]

sociétaire full-fledged member

revendications demands

mots d'ordre vindicatifs vindictive watchwords

s'évanouirent aussitôt will fade immediately

poitrine chest

contorsionne twist around

nette clear

mèche molle s'accoude à cowlick props itself on

visage maigre thin face

plis de la bouche wrinkles around the mouth

remontent go up

paupières eyelids

soutiennent des yeux bien lourds support/hold up really heavy eyes

On dirait un jongleur chinois He looks like a Chinese acrobat

s'obstinant à persisting (in trying)

maintenir en équilibre to balance

tiges de bambou bamboo stalks

Ça a dû en trimballer de la désillusion *literally:* They've had to drag
    around disillusion

des valoches comme ça bags under the eyes like that

menton est sans conviction chin lacks character

c'est par là That's where

volonté a dû se barrer will(power) has had to clear off

J'enfile I slip on

cran de ceinture belt hole

Quoi de plus vrai What could be more real/true

jusque dans l'avachi *in effect:* makes you look shapeless

entreposées dans cette réserve stored in this stockroom

épaisses couvertures de feutre brun thick, brown felt blankets

en déplacement being moved

matelas mattress

sac d'étoupe hemp bag

42

Son **emploi du temps** me rassure : il est là trois fois par semaine, le mardi de neuf à dix-sept heures, le jeudi de dix-huit à vingt et une heures, et le vendredi de sept heures et demie à neuf heures et demie. Le reste de la semaine est **siglé** « **H. Ville** ». J'en conclus qu'il doit être employé municipal. Y a aussi **du frou-frou et du doré** à la mairie de Paris!

J'ai mon **emploi du contretemps**.

Je suis pas sûr d'aller y voir de près aux échafaudages de mon **lampiste**, mais **d'avoir endossé ses frusques me met dans la peau** d'un **sociétaire** scrupuleux du patrimoine communautaire.

Ainsi vêtu, je crus entendre en moi l'écho de mes **revendications** passées, mais les **mots d'ordre vindicatifs s'évanouirent aussitôt** entre ma **poitrine** et le coton usagé.

Au fait, comment s'appelle-t-il ? Je **contorsionne** le badge : François LARCIN. La photo n'est pas très **nette**, une **mèche molle s'accoude à** un **visage maigre**. Les **plis de la bouche remontent** jusque sous les **paupières** et **soutiennent des yeux bien lourds. On dirait un jongleur chinois s'obstinant à maintenir en équilibre** sur des **tiges de bambou** deux porcelaines trop blanches. **Ça a dû en trimballer de la désillusion, des valoches comme** ça. Le menton est sans **conviction, c'est par là** que la **volonté a dû se barrer. J'enfile** le pantalon, l'ajuste d'un **cran de ceinture. Quoi de plus vrai** qu'un vêtement de travail trop long ? Le labeur **jusque dans l'avachi**.

L'organisation de mes nuits trouva sa solution à l'intérieur de deux des trois caisses **entreposées dans cette réserve**. D'abord, deux **épaisses couvertures de feutre brun**, dont le premier emploi doit être de préserver des chocs les œuvres d'art **en déplacement**, me feront un **matelas** honorable. Un grand **sac d'étoupe**, du genre de celle qu'on

la Royale the French navy
éponger to mop
cales des navires holds of ships
fauteuil-coussin-oreiller armchair-cushion-pillow
métrages de rouleaux de plastique-bulle lengths of rolled-up bubble wrap
édredon down comforter
nouvel éclairage new lighting
baigne ma taule bathes my pad/room
ne point gêner le repos not to disturb my rest at all
déplacements movements
intempestif untimely
renverser to knock over
dépasse sticks out
manche de scie métallique handle of the metal saw
retire take out
bric-à-brac d'outils jumble of tools
serre-joints clamps
bobine de fil de fer reel of wire
pince plate flat pliers
marteau de menuisier woodworker's hammer
boîte bien compartimentée nicely compartmentalized box
contenant containing
vis et clous screws and nails
chevilles de bois wooden pegs, used by furniture makers
flatte mon orgueil stroked my pride
s'intègrent are integrated
plâtre plaster
stuc stucco
entraînent la dilation lead to/bring about expansion
enduit à l'huile de lin coating of flaxseed oil
séchage drying
écaillement flaking
compagnons craftsmen, a term that evokes the old trade guilds and their
    system of apprenticeship and gradual mastery of skills
œuvrant working
feront office de penderie will serve as a makeshift hanging closet
je rangerai I will tidy up
mon ordinaire my everyday life
Cela tient autant à This is due as much to
ne point laisser de trace of not leaving any trace
qu'à ma volonté as to my desire
vastes étendues philosophiques vast philosophical expanses

utilisait dans **la Royale** pour **éponger** les **cales des navires**, deviendra un **fauteuil-coussin-oreiller** du plus moderne effet. Des **métrages de rouleaux de plastique-bulle** assureront le rôle d'**édredon**. La douce lumière montant du **nouvel éclairage** de la façade de la Cour carrée **baigne ma taule** d'une intimité suffisante pour **ne point gêner le repos**, tout en assurant mes **déplacements** sans risque **intempestif** de **renverser** à chaque instant un objet ou un autre. De la troisième caisse, celle dont **dépasse** le **manche de scie métallique**, je **retire** un **bric-à-brac d'outils**, notamment des **serre-joints**, une **bobine de fil de fer**, une **pince plate** de bonne marque, un **marteau de menuisier** et une **boîte bien compartimentée, contenant vis et clous** de longueurs et diamètres différents, et des **chevilles de bois**. Ce détail **flatte mon orgueil** d'ancien ouvrier. Les chevilles de bois **s'intègrent** mieux dans le **plâtre** ou le **stuc** que les chevilles plastique. Le bois sait s'adapter aux différences de température qui **entraînent la dilatation** de tous les matériaux. Une cheville en plastique, recouverte d'un **enduit à l'huile de lin**, entraînera après quelques mois de **séchage** un **écaillement** de celui-ci. Le bois, non. Voilà qui honore tous les **compagnons œuvrant** au Grand Louvre. L'audace architecturale de la pyramide, la qualité de son exécution, trouvent sûrement leur raison d'être dans ce simple détail : une cheville de bois.

Un morceau de tasseau, deux serre-joints et quelques longueurs de fil de fer **feront office de penderie**. Je décide dans le même temps que **je rangerai** chaque matin tous ces éléments de **mon ordinaire. Cela tient autant à** la prudence de **ne point laisser de trace, qu'à ma volonté** d'exister ici sans annexer de façon définitive un territoire.

Les **vastes étendues philosophiques ayant toutes été parcourues** par cette réflexion, je m'endors d'un coup.

EDITOR'S NOTE

The default question everyone asks or thinks about when getting up in the morning is what's the weather like? From his vantage point in the Louvre, the narrator enjoys not only precarious shelter from rain and cold but also the sight of the outside world. The resquilleur *harbors a fascination for clouds. (See the Italian proverb he quotes at the start of the book: "The clouds pass, the sky always remains.") He takes us back to his childhood and his favorite spot in his house, the fourth-floor window from which he could watch the movement of clouds, and also the ephemeral coming and going of pedestrians, merchants, giggling girls, automobile traffic, and, more solemnly, funeral processions, the last rite of passage. He likens his observations to Gustave Courbet painting* Un Enterrement à Ornans, *with its realistic depiction of a small-town burial.*

In these childhood reminiscences, the narrator intuits writers, notably Charles Baudelaire who, in "L'Etranger," asks an enigmatic man what he likes most: "Your family, your friends, your country, beauty, gold?" "I love the wonderful clouds," he answers. The narrator also mentions for the first time Jean-François Millet, the founder of the Barbizon school of painting, who once said of cows that while grazing and ruminating they watch the world go by in inimitable ways. "If only they could paint..." he mused.

Quel temps fait-il ?

How's the weather?

garder un contact to maintain contact

Quel temps ont-ils? What weather do they have [here]? *Temps* can also mean "time."

Ont-ils soif ? Are they thirsty?

se font set in

Du bel encadrement From the lovely framework

morceaux de nuages bits of clouds

timbre-poste postage stamp

courant running

d'un côté à l'autre from one side to the other

Qu'importe où il vont It doesn't matter where they go

Si c'était à refaire If I had it to do over

je ne peinturerais I wouldn't cover with paint

Dommage Too bad, It's a shame

ne sachent pas peindre don't know how to paint

Pour l'heure At the present time

elles ont déjà fait they've already gone down

la moitié du chemin half the road

Qu'importe au fond qui passe Deep down, what does it matter who passes

fil de l'eau flow of water

exigence requirement

n'appartient qu'à nous only belongs to us

Je me pose souvent la question ici, non pas que cela me concerne directement, mais pour **garder un contact** avec l'extérieur.

Quel temps ont-ils ?
Ont-ils soif ? Ont-ils peur ? Ont-ils le temps ?
C'est le soir, quand le silence et le noir **se font. Du bel encadrement** de ma fenêtre, je perçois du ciel une portion suffisante pour distinguer quelques **morceaux de nuages** qui me permettent d'imaginer le reste de la nuit. Un **timbre-poste** qui bouge, des nuages **courant d'un côté à l'autre** d'une lettre imaginaire. **Qu'importe où ils vont**, ils sont passés. Ils existent. **Si c'était à refaire**, je ne peinturerais que des nuages, ce serait bien suffisant. « **Dommage** que les vaches **ne sachent pas peindre** », disait Millet[1]. **Pour l'heure**, elles regardent passer les trains, **elles ont déjà fait la moitié du chemin. Qu'importe au fond qui passe**, les trains les nuages le **fil de l'eau**. Notre **exigence** esthétique **n'appartient qu'à nous.**

---

1. Jean-François Millet (1814–1875) was the principal founder of the Barbizon school of painting. Its followers broke with the academism of the official schools and their claims that only lofty events of history were worthy subjects. Taking their cue from the English, the "colorists" placed nature at the center of their concerns, paving the way to impressionism and later modernism. Millet, a particularly gifted draftsman, is venerated by the *resquilleur*—and Bernard Chenez. Both Millet and Chenez were born in the Cotentin.

colonnes de fumée columns of smoke
cheminées d'usine factory smokestacks
se pelotonnaient balled together
amas ventripotents rotund clusters
naissent are born
apprentissage apprenticeship

collé glued
quittais à regret reluctantly left
haut de trois étages three stories high
bonne hauteur right height
taille idéale ideal height
Je ne me lassais jamais I never tired
File sous la toise Slip under the height gauge
médecin scolaire school doctor
rentrée back-to-school time
Trois pommes an allusion to the expression *grand comme trois pommes* =
    small as a shrimp
autrement in a different way
plus évidentes more obvious
j'ai toujours mesuré trois étages I always measured three stories

profiter de mon avantage make the most of my vantage point
butinaient picked up (usually said of a bee gathering nectar)
au bal d'un prochain dimanche at the dance on an upcoming Sunday
tout ce qui composait all those who made up
progéniture offspring
des fonds de commerce of the businesses
prospère prosperous
d'après-guerre postwar
Messes basses sans curé Muttering, whispering; *literally:* Low masses
    without a priest
bougonnait grumbled
Je soupirais I sighed
culte worship

Enfant, je contemplais d'énormes **colonnes de fumée** sortant des deux **cheminées d'usine** dont nous étions voisins. Ces fumées **se pelotonnaient** dans le ciel en formant des **amas ventripotents**. J'en étais convaincu : les nuages **naissent** des cheminées d'usines. Ce fut ma première découverte. Mon premier secret. Et posséder un secret à quatre ans, c'est faire déjà l'**apprentissage** de la solitude.

« Tu fais quoi, le nez **collé** à la fenêtre ?

– Rien maman. Je regarde.

– T'as donc rien à faire ? »

Je ne répondais pas, **quittais à regret** mon observatoire **haut de trois étages**. C'était la **bonne hauteur**. La **taille idéale** pour observer les autres. **Je ne me lassais jamais** du spectacle de la rue.

« Combien tu mesures, toi ?

– Trois étages !

– **File sous la toise** ! »

Au **médecin scolaire** de chaque **rentrée**, je n'ai jamais pu faire admettre ma véritable taille. Cent vingt-trois, cent vingt-huit, cent trente-deux… Tout cela n'était que centimètres d'adultes. **Trois pommes**, trois étages sont des unités de mesure **autrement plus évidentes**. Pour ma part, **j'ai toujours mesuré trois étages**. Encore aujourd'hui.

Le printemps était la bonne saison pour **profiter de mon avantage**. Je regardais les filles passer et repasser sous mon balcon. Allant d'un bout à l'autre de la Grande Rue, elles **butinaient** les stratégies les plus secrètes pour séduire, **au bal d'un prochain dimanche, tout ce qui composait** la **progéniture des fonds de commerce** d'une France **prospère d'après-guerre. Messes basses sans curé**[1], **bougonnait** ma mère. **Je soupirais** en silence : j'aurais tant aimé être l'objet de leur **culte**.

---

1. This expression is a reference to a famous short story by Alfonse Daudet in a collection called *Lettres de mon moulin*, at one time common reading among children. A quote from Daudet: "My father told me that the toughest challenge a man faces is finding a woman."

à chaque bout at each end
beffroi cinq fois centenaire 500-year-old former town hall (of Dreux)
largeur width
chaussée road
de part et d'autre on either side
de ses pieds joints its feet standing together; *i.e.*, the steepled structure
    looks like a tall creature standing straight with feet together
mince filet thin trickle
pétaradant spewing; *literally:* backfiring
débouchait sur opened onto
dévouée à *here:* serving
contournant going around, skirting
sarcophage meringué frothy sarcophagus
surplombait jutted out over
ennassés caught in a net
passants de toute espèce passers-by of all kinds
tournaient en rond went around in circles
vivier fish tank, breeding ground
allées et venues comings and goings
lit ordinaire *here:* ordinary routine
venaient bouillonner came bubbling up
distractions calendaires *literally:* seasonal distractions, *i.e.*, holidays
Fête des écoles school special events
quatorze juillet Bastille Day, July 14
foire agricole agricultural fair
défilés parades
querelles de clochers quarrels between secular and religious entities
s'étendant du patronage laïc extending from the public club for youths
paroissial parish
plaisirs convenus conventional pleasures
imprévu des enterrements unexpected (aspect) of funerals
macadam asphalt pavement
circulation traffic
se découvrir *(fig.)* **sur son passage** to remove their hats as he passes by
défunt the deceased
ralentir to slow down
voire even
curé parish priest
soutane cassock
grande croix large (processional) cross
kyrielle d'enfants de chœur string of young choristers

Mon observatoire était idéalement placé au centre de la rue. Celle-ci semblait fermée **à chaque bout**. À gauche, un **beffroi cinq fois centenaire** occupait pratiquement toute la **largeur** de la **chaussée**, ne laissant passer **de part et d'autre de ses pieds joints** qu'un **mince filet** d'automobiles **pétaradant**[1] le progrès économique. À droite, la rue **débouchait sur** une avenue beaucoup plus active, **dévouée à** la circulation périphérique **contournant** la Chapelle royale[2], **sarcophage meringué** de la famille d'Orléans, qui **surplombait** la ville. Ainsi **ennassés**, les **passants de toute espèce tournaient en rond** dans ce **vivier** de commerce. J'avais une situation privilégiée pour en commenter les **allées et venues**.

Dans le **lit ordinaire** des semaines **venaient bouillonner** les **distractions calendaires. Fête des écoles, quatorze juillet, foire agricole**... Les **défilés** avaient la dimension des **querelles de clochers, s'étendant du patronage laïc** au club sportif **paroissial**. À ces **plaisirs convenus**, je préférais l'**imprévu des enterrements**. Procession silencieuse, s'inclinant sous ma fenêtre. Ils occupaient la presque totalité de la largeur du **macadam**. Le mort, quelle que fût sa notoriété, obligeait la **circulation** à **se découvrir sur son passage**. On accordait au **défunt** le privilège de **ralentir** la ville. De tous ceux qu'il m'était donné de saluer, l'enterrement d'un notable, **voire** d'un maire, constituait un spectacle de choix. Précédé d'un **curé** portant **soutane** et **grande croix**, d'une **kyrielle d'enfants de chœur**

---

1. *Pétaradant*, literally "backfiring," is normally an intransitive verb; here, poetic license creates an image of cars with old mufflers that spew out noise and pollution, the by-products of a consumer society.

2. The Royal Chapel of St. Louis at Dreux is the funerary chapel of the Orléans family. A neo-Gothic structure built in 1816, it sits high above the town. The chapel's stained-glass windows were designed by Delacroix, Ingres, and Viollet-le-Duc and made by the Manufacture de Sèvres, famous for its porcelain. The tombs of the Orléans family are decorated with beautifully carved *gisants,* or recumbent figures, executed by some of the most noted French sculptors of the early 19th century.

s'évanouissant fading, disappearing
encensoirs thuribles, censers
corbillard hearse
caparaçonnés de noir clad in decorative black trappings
Suisses *here:* vergers, beadles
bicorne cocked hat
croque-mort undertaker
bourdon bell that tolls for the dead
emmenait took away
élu the elect
panthéon *here:* resting place for the prominent

je me prenais I pretended to be
peignant painting
se tenaient au garde-à-vous stood at attention
sur le seuil on the threshold
avaient cessé stopped
butiner buzzing around (gathering nectar)
elles ne souriaient plus no longer were smiling
à vendre for sale

Il y a belle lurette A long time ago
convoi de location convoy of rented cars
un des miens one of my relatives
brinquebalant de la gerbe jolting the pall/funeral wreath
guetteur lookout
Il n'y avait qu'une meurtrière There was nothing there but a loophole
vociférant du klaxon leaning on their horns
tentaient de faire accélérer tried to hurry up
maigre cortège meager cortege
maintenir debout keep standing
étals stalls
avaient foutu le camp (*vulgar*) had disappeared/gotten the hell out

s'évanouissant dans la fumée des **encensoirs**, le **corbillard** était tiré par quatre chevaux **caparaçonnés de noir** et de larmes d'argent. Les **Suisses** portaient **bicorne**, le **croque-mort** son ennui, et au rythme du **bourdon** le beffroi **emmenait** d'un pas solennel l'**élu** au **panthéon** municipal.

Du haut de mon balcon, **je me prenais** pour Courbet[1] **peignant** l'Enterrement à Ornans[2].

Les commerçants **se tenaient au garde-à-vous sur le seuil** de leur boutique, saluant l'ensemble du corps électoral : honorables clients. Leurs filles **avaient cessé** de **butiner**. Alignées le long des vitrines, **elles ne souriaient plus**, mais semblaient déjà **à vendre**.

Il y a belle lurette, quittant Paris dans un **convoi de location**, j'ai accompagné **un des miens** au cimetière. Après une heure d'autoroute, **brinquebalant de la gerbe**, nous sommes repassés en ville. J'ai reconnu la maison, levé les yeux, cherchant à hauteur du troisième étage un **guetteur**. Il n'y avait qu'une **meurtrière**.

Quelques automobilistes, **vociférant du klaxon**, **tentaient de faire accélérer** le **maigre cortège**. Dans l'indifférence des fils de commerçants, occupés qu'ils étaient à **maintenir debout** leurs **étals** héréditaires. Les filles **avaient foutu le camp**.

Le monde des vivants est légitime, mais il me fatigue.

Quel temps ont-ils aujourd'hui ?

---

1. French painter Gustave Courbet (1819–1877) was an exponent of realism, although much of his work also was romantically evocative. His paintings often depict scenes of everyday life.

2. *Un Enterrement à Ornans* (*A Burial at Ornans*, 1849), a painting almost 22 feet wide, is considered Courbet's watershed masterpiece. It created a furor when it was exhibited at the Salon and was labeled socialistic for its sympathetic depiction of common people. Courbet called it "the burial of romanticism." Ornans was the artist's birthplace.

Mon carillon matinal, ce sont les troupes de ménage

My morning bell is the cleaning crew

Mon train de banlieue My commuter train
cireuse floor polisher
flambant neuves brand new
mitan smack in the middle
propreté cleanliness
clarté light
J'y entre I go in there
endormi sleepy
j'en ressors I come back out (of there)
ouvrier rayonnant radiant worker
J'avale I swallow
café instantané instant coffee
bon goût good taste
biscuit sec cracker
n'a pas rapiné hasn't plundered
ersatz soluble *here:* instant coffee
grignoteries transgéniques genetically modified snacks
dissimuler concealing
soigneusement carefully

Je revivais I relived
j'avais vu gamin I had seen as a child
enfouissait hid away
consciencieusement conscientiously
L'aube frémit Dawn quivers/makes a quivering entrance; perhaps an
    allusion to the sound boiling water or percolating coffee makes
clapotis lapping
J'entre en scène I come on stage (*i.e.*, he's ready to perform in his stolen
    uniform and badge)
compagnon badgé journeyman wearing a badge
m'évanouissant making myself fade into the woodwork
pour une dizaine d'heures for about ten hours
foule crowd
routardisée carrying the *Guide du Routard,* a guidebook for budget travelers

58

Mon train de banlieue, la **cireuse** de sept heures. Badge au vent, je vais jusqu'à ma salle de bains. Le matin, je choisis les toilettes **flambant neuves** situées dans le **mitan** des antiquités gréco-romaines. Proximité, **propreté, clarté**, confort. **J'y entre** resquilleur **endormi, j'en ressors ouvrier rayonnant. J'avale** un **café instantané** (l'eau des lavabos des antiquités gréco-romaines est particulièrement chaude, tradition ancestrale que le Louvre a eu le **bon goût** de maintenir), accompagné d'un **biscuit sec**, car rares sont les jours où François Larcin **n'a pas rapiné** à la cafétéria d'entreprise quelques sachets d'un **ersatz soluble**, et autres **grignoteries transgéniques**. La dernière opération consiste à **dissimuler** chaque accessoire de mes nuits aussi **soigneusement** que possible.

Je revivais en cette occasion la scène d'un film de guerre que **j'avais vu gamin**, où un combattant clandestin **enfouissait consciencieusement** son parachute.
L'aube frémit... Le **clapotis** des premiers touristes me donne le signal.
J'entre en scène, compagnon badgé, m'évanouissant pour une dizaine d'heures au milieu d'une **foule** uniformément **routardisée**.

Jean-Luc Godard (b.1930) one of the pioneers of New Wave filmmaking
soudaine pulsion   sudden impulse/urge
J'enchaîne alors les étages   I therefore go from one floor to another
rebondissant   leaping
Trans-art-express   a play on Trans-Siberian Express
Pendu aux rails des cimaises   Hanging from the tracks of the picture
　　rails
j'embarque   I take on board
rame   train car
personne ne monte   no one gets on
j'accélère la cadence   I speed up the rhythm
couloir étroit   narrow hallway
changements d'aiguillage   track switchings
dérailler   to jump the tracks
je me promets de venir visiter   I promise myself to come visit
lors d'un prochain voyage   on another trip

Souvenir à venir   Memory to come
d'un réseau à rêver   of a network to dream of

n'y est pour rien   is not there for nothing
se tient debout   is standing
face à   opposite
d'où l'on perçoit la Seine   from which one can see the Seine
Vu de cet angle   Seen from this angle

Dans un film de **Jean-Luc Godard**, les personnages décident de parcourir le Louvre le plus rapidement possible. J'ai moi-même parfois cette **soudaine pulsion**. **J'enchaîne alors les étages**, les départements, les écoles, de plus en plus vite, **rebondissant** d'une toile à l'autre. **Trans-art-express**. Les peintres sans arrêt ne sont pas sans importance. Puis soudain : Fraaaagonard[1] ! Peeeeder Balke[2] ! Meeeeissonier[3] ! **Pendu aux rails des cimaises**, le nez à la fenêtre, cherchant d'improbables voyageurs, **j'embarque** ici un chat, là une **rame**, un océan glacé ou un sombre soir de barricades de 1848, mais **personne ne monte**.

Le voyage peut durer des heures, **j'accélère la cadence**, quel que soit le tunnel, l'escalier, le **couloir étroit**, les brusques **changements d'aiguillage**. Il me semble impossible de **dérailler**. Au détour d'une galerie j'aperçois une couleur, un objet, un portrait que **je me promets de venir visiter lors d'un prochain voyage**.

Souvenir à venir d'un réseau à rêver.

L'arbre du sacrifice d'Abraham est l'une de mes destinations favorites. Annibale Carracci[4] **n'y est pour rien**, mais son petit tableau **se tient debout face à** la dernière fenêtre de la Grande Galerie **d'où l'on perçoit la Seine**. **Vu de cet angle**, Paris est une peinture de Marquet[5]. Un pont, trois arbres, le fleuve. C'est gris bleu, noir, vert

---

1. Jean-Honoré Fragonard (1732–1806) was a versatile French rococo painter. The Louvre has several of his works, including the celebrated *Le Verrou*.

2. Norwegian Peder Balke (1804–1887) was a painter of idiosyncratic landscapes.

3. French painter Jean-Louis-Ernest Meissonier (1815–1891) was famous in his lifetime for his highly finished battle scenes. A champion of academic or "pompier" art, he became a harsh critic of Courbet.

4. Annibale Carracci (1560–1619), one of the most prominent artists of his time, is perhaps best-known for his decoration of the Palazzo Farnese in Rome, a benchmark for subsequent generations of painters. *The Tree of Abraham's Sacrifice* (just 45 X 34 cm) dates from around 1599.

1. Pierre-Albert Marquet (1875–1947) was a lesser-known member of the Fauves, best-known for his watercolor landscapes. He painted many scenes of rivers and boats. Matisse called him the French Hokusai.

S'invite   It invites

rouge garance   bright red, a reference to the bright red color of soldiers' uniforms prior to 1815, which made them conspicuous on the battlefield

qui se dandine   that is waddling

passante   passer-by

drapeau tricolore   French flag

flotte   floats

sur Orsay   over the Quai d'Orsay, where the French foreign ministry is headquartered. The musée d'Orsay is visible across the river from the Louvre.

Un tiers   A third

perce des toits   pierces the roofs

se pousse de la pointe   rises to the top of its toes

volée de cyclistes   flight of cyclists

pont du Carrousel   bridge that connects the Louvre and the Left Bank

agace   annoys

deux gros bus verts   two large green buses

croassent   *in effect:* respond, talk back

clignotant   turn signal

bateau-mouche   large passenger boat that takes tourists up and down the Seine

blottis sur sa proue   pressed against its prow

dans le couchant   in the sunset

défiler   pass by

Je me suis retiré de ce monde-là   I have withdrawn from that world

À l'échantillon de vie   To the example/kind of life

dans le cadre   in the frame

tient seul   alone holds

témoin   witness

s'éventent   *in effect:* are not as compelling; *literally:* go flat

ces vies en miroir   these mirroring lives

gardien de phare   lighthouse keeper

derrière ma vitre   behind my window

mélancolique. **S'invite** une touche de **rouge garance qui se dandine,** une **passante** sans doute. Plus à droite, un **drapeau tricolore flotte sur Orsay. Un tiers** de tour Eiffel **perce des toits** déjà anonymes, le dôme des Invalides **se pousse de la pointe,** une **volée de cyclistes** sur le large **pont du Carrousel agace deux gros bus verts** qui **croassent** du **clignotant.** Un **bateau-mouche** de fin de saison passe, et ses derniers touristes, **blottis sur sa proue,** regardent **dans le couchant défiler** les tours de Saint-Sulpice et le clocher de Saint-Germain.

Je me suis retiré de ce monde-là.

À l'échantillon de vie dans le cadre de cette fenêtre répond l'échantillon de vie qu'Abraham **tient seul** dans sa main. À l'arbre, **témoin** de la scène, répond la Seine[1] où **s'éventent** d'autres arbres. Je reste longtemps à contempler **ces vies en miroir, gardien de phare derrière ma vitre,** je résiste.

---

1. *Scène* and Seine are homophones, they sound alike but have different meanings. Thus the author creates a "chiasmus," a poetic device whereby the two homophones reflect each other at the far ends of the "verse." This cleverly helps to underscore *ces vies en miroir* = mirroring lives.

EDITOR'S NOTE

What would a story be without a bit of romance? The narrator is standing in line in one of the museum's self-serve cafeterias when he notices a woman tourist behind him. A playful exchange of food starts off like a dance routine, with no words exchanged between them. She's German, he's French, somewhat unlikely soulmates given the history of the nations. She is eager for more, he is eager for less, and shortly retreats into himself as he's wont to do, after trying to explain to her that he "lives" here. As the woman fades into oblivion, the topic shifts to the psyche of the protagonist, his father, his deceased brother, the obsession with death and funerals during his youth.

In the previous chapter, that subject was broached at the aesthetic level when the resquilleur *points out to us Annibale Carracci's* Tree of Abraham's Sacrifice. *We appreciate why a father, having lost his first son, might unwittingly have sacrificed his second by dragging him to visit the grave of the departed every Sunday. Did he die in the war with Germany? We don't know for sure, but war stories weighed heavily on the narrator in his youth, before he left home to work on the production lines that cranked out Renault automobiles. That led to May 1968, and eventually to loss of work and homelessness. As in his childhood, he took refuge in the contemplation of art, particularly the haunting art of the romantic era, most notably that of Caspar David Friedrich.*

C'est reposant parfois de céder à l'instinct grégaire

It's soothing sometimes to give in to the herd instinct

entresol mezzanine

éminemment propice eminently suitable

halte touristique tourist stop

Agrémenté Livened up (by)

vente de glaces for selling ice-cream

sans Histoire *here:* recently set up

teinte du mobilier color of its furniture

cantine snack bar

comptoir counter

se mettre en file to stand in line

Je fais donc la queue I get in line

quelques sous few pennies

me restent en poche I have in my pocket

caisse cash register

Piétinant At a standstill

taquiner to mess around with

céleri-rave celeriac

bouchée mouthful

trois rondelles de saucisson three slices of sausage

cornichon pickle

avec entrain with gusto

bienveillant kindly

devine guess

figurant en haut à droite in the upper right (corner)

allemande German

contre une bouchée de salaisons *in effect:* in exchange for a mouthful of salty food

nous entamons we start (eating)

un pain de deux an exchange of bread, a pun on *pas de deux* = a ballet duet

comme d'autres dansent the way others dance

jeu game

improviser les règles to make up the rules

au fur et à mesure as you go along

s'écoule moves (forward)

me verse à boire pours me something to drink

grains de raisin grapes

À l'**entresol** du hall d'accueil, il y a une cafétéria **éminemment propice** à la **halte touristique. Agrémenté** d'un petit comptoir mobile de **vente de glaces**, ce lieu, le seul ici **sans Histoire**, est vaguement sombre, peut-être à cause d'un plafond un peu bas ou de la **teinte du mobilier**... En un mot, une **cantine** publique avec son **comptoir** en forme de U où il est normal et commun de **se mettre en file. Je fais donc la queue**, une première fois.

Les **quelques sous** qui **me restent en poche** me permettent d'attendre sans inquiétude particulière le passage à la **caisse. Piétinant** devant les entrées, je commence, pour garder patience, à **taquiner** le **céleri-rave.** J'accompagne bientôt l'appétit venu d'un petit morceau de pain, et ne fait qu'une **bouchée** de **trois rondelles de saucisson** et du petit **cornichon** qui les accompagne. Arrivé à la moitié de cette procession gustative, je mange **avec entrain.** Mon compagnon de cortège, ou plus exactement ma compagne de derrière, m'encourage d'un sourire **bienveillant.** Je **devine**, au petit drapeau **figurant en haut à droite** de son guide du musée, qu'elle est **allemande.** Je lui échange un sourire **contre une bouchée de salaisons, et nous entamons** ainsi **un pain de deux comme d'autres dansent.** Ce qui est agréable dans un **jeu**, c'est d'en **improviser les règles au fur et à mesure.** La file **s'écoule** lentement. C'est elle qui la première **me verse à boire.** Je réponds par quelques **grains de raisin** qui accompagnent

67

elle nous a choisi   she has chosen for us

scellent   seal

Aller plus loin   To go any farther

gourmandise   gluttony

s'obstiner   *here:* keep on going

plateaux   trays

tels   like

mal garées   badly parked

vite noyées   quickly flooded

flot   stream

anthropophage   cannibalistic

encadreur rhénan   picture framer from the Rhineland

chaparder   to pilfer

censées   (that were) supposed to

Ruhr   river in western Germany

chromos   gaudy color prints

Forêt-Noire   the Black Forest

biches   does

aux abois   at bay

exalteraient   would glorify

sous des cadres   in frames

contrefait   counterfeited

mis à sac   ransacked (a play on the fact that Louis Vuitton makes *sacs*, or bags, in various styles)

Maroc   Morocco

teuton   Teutonic, Germanic

pasticherait   would imitate (the style of)

cimaise française   *in effect:* French gallery wall

Mondialisation du toc   Bogus/Fake globalization

la met en confiance   put her at ease

Elle tient absolument à   She absolutely insists on

clocher   church bell tower

unité de mesure   unit of measurement

j'en déduis   I surmise from it

se tenir...droit devant   standing up straight in front (of it)

frisottée de la jupe aux cheveux   frizzy from her skirt to her hair

Meine Mutter   *German:* My mother

se répandre   to lavish me (with attention)

m'inonder   to bathe me

Sa voix s'éloigne   Her voice becomes distant

devient floue   becomes fuzzy/blurred

se superposent   are superimposed

fort bien le fromage qu'**elle nous a choisi**. Deux tartelettes **scellent** notre complicité. **Aller plus loin** serait de la **gourmandise**. Pourquoi **s'obstiner** jusqu'à la caisse? Nous abandonnons là nos **plateaux tels** deux voitures **mal garées vite noyées** dans le **flot** d'une circulation **anthropophage**.

Fille d'un **encadreur rhénan**, elle venait là **chaparder** quelques idées **censées** apporter un peu de fantaisie sur les bords de la **Ruhr**[1]. Les **chromos** de scènes de chasse en **Forêt-Noire** et les **biches aux abois exalteraient** bientôt leur romantisme **sous des cadres** inspirés par ceux des expositions temporaire du Louvre.

Cartier était **contrefait** en Chine, Vuitton **mis à sac** au **Maroc**, et bientôt un artisan **teuton pasticherait** la **cimaise française**. **Mondialisation du toc** !

Mon sourire l**a met en confiance**. **Elle tient absolument à** me montrer une photo de son village nommé Wilsehaven, où le **clocher** est l'**unité de mesure** de toute la population. C'est ce que **j'en déduis** à voir son père **se tenir ostensiblement droit devant**. Il est accompagné d'une femme **frisottée de la jupe aux cheveux** : « **Meine Mutter** », dit-elle. Elle commence à **se répandre**, à **m'inonder** de tendresse. Très vite, cela m'ennuie. **Sa voix s'éloigne** de mon oreille. La photo **devient floue**. D'autres silhouettes **se superposent**…

---

1. The Ruhrgebiet (*literally:* Ruhr District/Region), a heavily industrialized region in northwestern Germany, lies along Germany's border with Belgium and France. Largely rebuilt after heavy bombing during World War II, it has been called a mecca for fans of concrete. It was the locus of some of the first postwar European economic initiatives, notably the European Coal and Steel Community that later become the European Economic Community, and eventually the European Union. A strong postwar Franco-German alliance has been the linchpin of European integration and the engine of European economic growth over the past sixty years.

cousin germain first cousin, an ironic reference, as the Germans and
  French traditionally have not enjoyed harmonious relations
du bout des doigts with the tips of his fingers
sourcil eyebrow
froncé *here:* arched
sourire vainqueur victorious smile
Le temps d'un cliché In the span of a snapshot
avoir joué un bon tour au destin having played a good trick on fate
ne s'encombre pas d'apparences wasn't bothered with appearances
poignardé stabbed
gris cendre ash gray
camaïeu monochrome
mégot cigarette butt
N'osant plus rien Not daring anything more
garder le maintien maintaining the bearing
montrer leur peine to show their pain
jalonné marked out
le menait au cimetière led him to the cemetery
Content de lui tenir la main Happy to hold his hand
mon habit du dimanche my Sunday garb
jardins citadins city gardens
laissent la place give way (to)
surpris par le petit matin detected in the early morning
Poule faisane pheasant hen
grand-duc eagle owl, a rapacious night bird
j'allais à la mort comme d'autres à la pêche I went to the cemetery like
  others went fishing
initiatique initiatory
j'effectuais avec le plus grand sérieux I made with the greatest seriousness

deuil mourning
virtuose du mal de vivre a virtuoso of clinical depression
Je ne supporte pas la douleur I can't stand grief/pain
laideur ugliness
me reprendre to catch myself
Elle ne m'entendit point She isn't listening to me at all
Je ne suis bien qu'en compagnie des morts I'm not okay unless I'm
  around the dead
geste vif brusque gesture
redonne give back

70

Mon père avait la même posture que ce **cousin germain**. La cigarette qu'il tenait nonchalamment **du bout des doigts**, le **sourcil froncé** et le **sourire vainqueur** lui conféraient une assurance proche de celle de son voisin rhénan. **Le temps d'un cliché**, il donnait l'illusion d'**avoir joué un bon tour au destin**.

Mais la réalité **ne s'encombre pas d'apparences**. Le destin avait **poignardé** mon père depuis longtemps. Je l'ai toujours connu **gris cendre**. Un **camaïeu** de tabac froid. Un **mégot** en équilibre sur la vie. **N'osant plus rien**. Ses yeux demandaient éternellement pardon. Il s'obstinait pourtant à **garder le maintien** de ceux qui ne veulent pas **montrer leur peine**...

Il avait **jalonné** un chemin de repentances qui chaque dimanche **le menait au cimetière**. **Content de lui tenir la main**, j'allais avec lui. La mort était **mon habit du dimanche**.

Le cimetière n'était jamais une promenade triste. Passé les dernières maisons, quand les **jardins citadins laissent la place** aux champs, il n'était pas rare de rencontrer quelque animal **surpris par le petit matin**. **Poule faisane**, lapin, et jusqu'à un **grand-duc** immobile au pied d'un arbre, un jour de pluie, attendant là ce que nous, nous allions chercher.

Au bras de mon père, **j'allais à la mort comme d'autres à la pêche**. Un parcours **initiatique** que **j'effectuais avec le plus grand sérieux**. Notre promenade s'achevait devant une petite tombe blanche. Mon frère, sans doute.

Installé dans un **deuil** permanent, j'étais **virtuose du mal de vivre**.

« Vous venez souvent, ici ?

– J'habite ici. **Je ne supporte pas la douleur**. Non, la **laideur** ! » dis-je, voulant **me reprendre**. **Elle ne m'entendit point**.

« Mais ici c'est un mausolée, une nécropole.

– **Je ne suis bien qu'en compagnie des morts**. » D'un **geste vif**, je lui **redonne** sa photo.

« Mais que faites-vous ici ?

marginal par désespoir on the margins of society because of despair
m'apparaît seems to me
Peut-être que j'aurais pu trouver Maybe if I'd been able to find
métier occupation
me distraire to entertain myself
manœuvre en usine worker in a factory
chaîne de montage assembly line
faire le vide empty out
plus je cherchais à rationaliser mes gestes the more I try to rationalize
    my movements
Économie de moyens Economy of means
Gain de temps Time savings
gars guys
remonter la chaîne getting back on the assembly line
regagner regain
dizaine de postes de travail about ten work stations
en villégiature on break
reprendre get started on again
engendrées engendered
nier le contre-maître to deny the existence of the foreman
cortèges étudiants student demonstrations

à son tour it's her turn
faudrait les faire qu'une fois you'd only have to do it once
Après c'est plus pareil Afterwards nothing is the same
on ne se bat plus on défile you don't fight anymore, you parade
à part except for
mômes kids
emmerde *(vulgar)* bores to death, annoys

le cul dans le neige *literally:* on our asses in the snow; *in effect:* out of
    work
cons *(vulgar)* idiots
repères bearings, points of reference
copains égarés scattered friends
désoeuvré at loose ends, idle
de temps en temps from time to time
fréquemment frequently
le plus souvent possible as often as possible

– Rien. Je suis **marginal par désespoir**. Vivre **m'apparaît** comme une faute. **Peut-être que j'aurais pu trouver** un **métier** pour **me distraire**…

– Vous n'avez jamais travaillé ?

– Si, **manœuvre en usine**, posté sur une **chaîne de montage**, à construire des voitures. Une façon radicale de **faire le vide** dans sa tête. Plus les cadences augmentaient, **plus je cherchais à rationaliser mes gestes. Économie de moyens. Gain de temps.** Je n'étais pas le seul. Avec l'ensemble des **gars** de l'atelier, nous avions comme obsession d'aller le plus vite possible. Nous finissions par **remonter la chaîne**, et ensemble, arrivions à **regagner** ainsi une **dizaine de postes de travail**. Ensuite, nous retournions à notre place. On regardait passer les voitures finies. Nous étions **en villégiature** pour deux ou trois minutes. Et puis, de nouveau, une voiture à **reprendre**… Remonter la chaîne… Cadences infernales **engendrées** par nous-mêmes. La façon la plus radicale de **nier le contremaître**. De cette solidarité désespérée, nous avons fait naître le plus grand mouvement social des cinquante dernières années. Loin des **cortèges étudiants**, sur qui d'ailleurs nous n'avions pas de regard politique particulier… »

À voir ses yeux ronds et son sourire de peinture, je ne suis pas sûr qu'elle me comprenne… ou peut-être bien qu'**à son tour**, elle s'ennuie déjà. Les guerres, **faudrait les faire qu'une fois. Après c'est plus pareil on ne se bat plus on défile. Et à part** les vieux et les **mômes**, ça **emmerde** tout le monde.

« … On s'est retrouvés **le cul dans la neige**, quelques mois plus tard. Tout **cons** d'avoir voulu être heureux ensemble.

Le temps a passé. Sans **repères**, entre une famille disparue et des **copains égarés**, je suis venu ici. Une première fois d'abord, un peu **désoeuvré**, comme dans une gare, attendant un train.

Et puis **de temps en temps**.

Et puis **fréquemment**.

Et puis **le plus souvent possible**.

Je me suis laissé apprivoiser I let myself be caged/tamed
s'impose is a necessity
j'y suis en paix I'm at peace here
Je n'ai jamais revu I never saw again
pourvoyeuse purveyor, supplier
La mémoire des noms me fait défaut I don't have a good memory for
  names
la sienne hers
crépusculaires twilight
attire attracts

gardera toute sa pudeur will preserve all its modesty
vous y perdre *in effect:* remain lost there
en toute impunité to your heart's content

Je me suis laissé apprivoiser.

Être ici **s'impose** puisque **j'y suis en paix**. Enfin, pour moi, c'est comme ça. »

Je n'ai jamais revu cette complice **pourvoyeuse** de mélancolie. **La mémoire des noms me fait défaut**, pas celle des images. Je revois **la sienne** chaque fois que j'aborde, au deuxième étage du pavillon Richelieu[1], les rives **crépusculaires** de *L'Arbre aux corbeaux*. Caspar David Friedrich[2] **attire** peu de visiteurs.

Votre nostalgie **gardera toute sa pudeur**, vous pourrez **vous y perdre en toute impunité**.

---

1. The Pavillon Richelieu, also known as Aile Richelieu (wing), housed the Finance Ministry before it moved to Bercy in the east end of Paris. The Richelieu Wing was inaugurated as part of the museum in 1993 and houses French sculpture, as well as the initial displays of ancient Oriental art and Islamic art. The first floor is devoted to the Department of Art Objects; the second to Flemish and Dutch paintings and the start of the long galleries of French paintings. Two coffee shops and a documentation center are also open to the public.

2. German painter Caspar David Friedrich (1774–1840) was one of the chief exponents of romanticism. The Louvre owns his *L'Arbre aux corbeaux* (ca. 1822), depicting a barren tree with crows. Typical of the cold, barren coast of the Baltic Sea, this image recalls the trees painted by Carracci, mentioned earlier, and those of French painter Albert Marquet (see above), who evoked the trees lining the banks of the Seine.

**Je parcours les couloirs
comme les étapes du Tour de France,
enchaîne les boucles, trouve des raccourcis**

I travel the corridors like the stages of the Tour de France,
move from one loop to the next, find the shortcuts

J'arpente *here:* I survey
pressé in a hurry
soucieux de sa tâche concerned about his task
ne peut se laisser aller can't let himself yield
escalier en colimaçon spiral staircase
Je parierais gros I'd bet a lot
patenté authorized
pour qu'il me dégotte that it would help me find
dans une partie de cache-cache in a game of hide-and-seek
qui se confond that blends into
boiseries woodwork
vaut à coup sûr wins hands down
la plus haute marche du podium the highest step of the podium

débattement width
lambris panelling
ajuster du regard to adjust with a look
godillement bump in the rug
mètre pliant fold-out measuring stick

J'arpente, depuis des jours, le Louvre avec l'assurance de l'architecte **pressé, soucieux de sa tâche**, qui **ne peut se laisser aller** aux beautés de l'Art. Le petit **escalier en colimaçon** qui descend de la peinture française du XVIIIe siècle à la tombe de Nakthi l'Égyptien[1] m'amuse beaucoup. **Je parierais gros** avec un guide **patenté pour qu'il me dégotte** le Couloir des Poules[2]. Et **dans une partie de cache-cache**, la porte **qui se confond** avec les **boiseries** du passage situé entre la Grande Galerie et la salle des États **vaut à coup sûr la plus haute marche du podium.**

Je joue.

N'hésitant pas à mesurer le **débattement** d'une porte, la hauteur d'un **lambris**, à **ajuster du regard** la fermeture d'une fenêtre, le **godillement** d'un tapis, l'alignement militaire des faïences opulentes de la Renaissance allemande. Accessoire indispensable, le **mètre pliant**

---

1. Nakthi was an Egyptian dignitary who is believed to have served as a chancellor and naval commander, a possible reference to themes recurrent in this story. His carved-wood statue is a example of funerary art dating back to the beginning of the 12th Dynasty (ca. 1963–1786 B.C.).

2. The Couloir des Poules (Sully Wing) displays 18th-century French pastels and miniatures. The name has prompted speculation that employees may have raised chickens in that part of the Louvre in the 17th century.

bâton de maréchal field marshal's baton
surveillants guards
acquiescent de la tête nod their approval
clin d'œil wink
bref signe de la main small hand signal
valent laisser-passer are enough for a pass
décréter decree
qui pourrait m'être fatal that could be fatal to me

On ne triche bien You can't cheat well
joueurs players

au gré de l'emploi de temps depending on the work schedule
que m'impose mon innocent complice that my innocent accomplice
     imposes on me
humeur mood
craintif fearful
maîtres des lieux the masters of these places, *i.e.*, the people depicted in
     the paintings
se douter de quelque chose to suspect something
s'assombrit grows darker
Je m'esquive dans I slip into
faisant suite à la sienne following his
châtaigniers chestnut trees
qui s'obscurcit that becomes darker
goudron tar used in paints that had the effect of darkening colors over
     time
chimique chemical
noir présage dark omen
inquiétant unsettling
me semble plus s'apparenter à seems to me to resemble more of a
milice militia
randonneurs hikers
fussent-ils poètes even if they were poets
Je n'envisage pas d'être découvert I don't envisage being discovered
Jeté hors des murs Thrown outside the walls
l'exigence de Diogène the unreasonableness of Diogenes
je ne réclame pour moi aucun soleil I don't claim for myself any sun.
     When Alexander the Great asked Diogenes if he could do anything
     for him, the philosopher said, " Stand out of my sunlight."
tonneau *here:* tub

usurpe, pour moi, l'autorité du **bâton de maréchal**. Les **surveillants acquiescent de la tête**. Un **clin d'œil**, un **bref signe de la main**, **valent laissez-passer**. J'aimerais **décréter** que la Joconde est un faux ! Mais ce serait là un mélange des genres **qui pourrait m'être fatal**.

On ne triche bien que dans sa communauté de **joueurs**.

Suivant l'habit du moment, **au gré de l'emploi du temps que m'impose mon innocent complice**, mon **humeur** change. Je redeviens **craintif** sous les regards des **maîtres des lieux**. Delacroix[1] commence à **se douter de quelque chose**. Son œil **s'assombrit** à chacune de mes allées et venues. **Je m'esquive dans** une salle **faisant suite à la sienne**, en essayant de me perdre dans l'allée de **châtaigniers** de Théodore Rousseau[2], **qui s'obscurcit** chaque semaine davantage. Si le **goudron** qui entre dans la composition **chimique** de la matière picturale en est la principale cause, j'y vois un **noir présage** beaucoup plus **inquiétant**. Et l'école de Fontainebleau[3] **me semble plus s'apparenter à** une **milice** qu'à un groupe de **randonneurs, fussent-ils poètes**.
Je n'envisage pas d'être découvert. Jeté hors des murs du Louvre. Je n'ai pas **l'exigence de Diogène[4], je ne réclame pour moi aucun soleil**.
Mais tout de même… le luxe de mon **tonneau** !

---

1. Eugène Delacroix, the famous French painter (1798–1863), was a master of romanticism. Dozens of his works hang in the Louvre. He is such a household figure that the protagonist ascribes to him such powers as recognizing an intruder.

2. Théodore Rousseau (1812–1867), not to be confused with Henri Rousseau (the famous naïve painter), was a central figure of the Barbizon School. From 1836, he spent much of his time in the Fontainebleau Forest, where he painted woodland scenes. He was a close friend of Millet.

3. The École de Fontainebleau included such 16th-century Italian masters as Primaticcio, Cellini, and Rosso, all brought to France by François I to decorate his eponymous palace. Fate would have it that Barbizon is just a stone's throw from Fontainebleau.

4. Diogenes (c. 400–c. 325 B.C.), the Greek cynic philosopher, was a relentless critic of social convention. He embraced extreme poverty and, according to Seneca, lived in a tub.

EDITOR'S NOTE

This peculiar title means going about life by yielding to the moment, however haphazardly. The discourse in this chapter becomes somewhat delirious, as the author employs a stream-of-consciousness style with no punctuation, verbs in the infinitive, and random associations, of which a haunted mind like that of the resquilleur *is particularly prone.*

The narrator works himself into a frenzy of questions about the artists, their motivation to paint, the intricacies of their talents, their every gesture, the creative instinct, the mystery of creation itself. There are no rational answers to these questions, as there is no grammar for language in its raw state. The resquilleur *admits that he has become maniacal about the life dates after artists' names, obsessed as he is with death, with solitude, with the need to gamble one more day of existence. Let yourself be carried away by the movement of this chaotic prose and allow yourself to experience the panic the narrator is trying to convey. Don't try to understand it all. The* resquilleur *doesn't.*

À la va-comme-je-te-pousse la vie

(A toast) to the "go-the-way-I-push-you" life

j'patauge I'm floundering
j'sais pas où ça va aller I don't know where that's going to lead
sans forfanterie without bragging
se laisser glisser to let yourself slide
pénétrer sa fibre to penetrate its fiber
traverser la couleur to pass through the color
s'infiltrer par les poils du pinceau to seep through the hairs of the
    paintbrush
gorgé d'huile et de couleurs saturated with oil and colors
remonter dans le manche to get into the handle
se répandre dans les doigts to spread through the fingers
dans le ventre du créateur in the belly of the creator
de remonter la vie to put your life back together
un foutu merdier (*vulgar*) a hell of a mess
baiser Véronèse (*vulgar*) screw Veronese
faut vraiment être tordu you really have to be crazy

Faut surtout être seul Above all gotta be alone

Je deviens maniaque des dates I am becoming maniacal about (life) dates
combien de temps ils ont vécu how long they lived
barbouilleur dauber
débusquer la vérité to flush out the truth
s'efforcer de vivre to make the effort to live
tenu comme ça en équilibre kept their balance like that
pourquoi y ont-ils cru why did they have faith in it
j'veux pas mourir non plus I don't want to die either

Bien sûr que **j'patauge** et **j'sais pas où ça va aller** tout ça ni moi avec

Aller plus loin encore entrer dans la peinture **sans forfanterie se laisser glisser** par en dessous la toile **pénétrer sa fibre traverser la couleur s'infiltrer par les poils du pinceau gorgé d'huile et de couleurs remonter dans le manche se répandre dans les doigts** dans la main dans le bras **dans le ventre du créateur** c'est le secret de la peinture que **de remonter la vie** la tranquille beauté du sexe du père jusqu'au ventre de la mère **un foutu merdier** et aller faire ça ici **baiser Véronèse faut vraiment être tordu**

Faut surtout être seul

Je deviens maniaque des dates je veux savoir **combien de temps ils ont vécu** tous il me faut connaître la fin d'eux tous du moindre **barbouilleur** qui a maintenant droit sur les murs à l'éternité aller **débusquer la vérité** dans le mystère de leur passion pourquoi ont-ils accepté le jeu pourquoi ont-ils voulu **s'efforcer de vivre** combien de temps ont-ils **tenu comme ça en équilibre pourquoi y ont-ils cru** jusqu'à la fin une vie entière à chercher entre le crayon et la toile à ne pas vouloir mourir **j'veux pas mourir non plus** moi j'veux pas j'veux pas

Gaffe aux *here:* Watch out for
disparus trop tôt (who have) died too soon
talent météore meteoric talent
fracassé shattered

banco bingo

Chapardeur Pilferer

Gaffe aux peintres **disparus trop tôt talent météore** impasse sert à rien si c'est pour pas durer pas le temps de tout voir le talent d'une seconde **fracassé** contre un arbre belle affaire à choisir prendre l'arbre

Né quand mort quand peint tard c'est beau ça finit bonheur **banco**

Chapardeur d'existences ! Resquilleur du Louvre !

Novembre se chuchote

November is whispered

anodins reflets gris insignificant gray reflections
clapotent lap against
heures matinales morning hours
seul les pierres molles only the soft rocks (an oxymoron)
rivages shores
s'étire *here:* seems endless
patine skate
côtoyant mixing with
engourdies numbed
vagues dénudées barren waves
souvenirs d'enfance childhood memories
l'écume des marbres purs the foam of pure marble statues
anoblit ennobles
piédestalent leur pouvoir *in effect:* put their power on a pedestal
candeur ingenuousness
oiseaux que nul chant n'altère birds that no song can change

embryons d'états d'âme hints of emerging moods
marmonnent mumble

dodinant du cou stretching her neck
Culbuto à bascule In a rocking chair
cabas trop lourd shopping bag that's too heavy

Fuyant le quotidien Fleeing (her) daily existence
robe canicule house dress (worn during hot weather)
Auréolée de sueur haloed with sweat
Gonflée Swollen, puffy

Les jours sans humeur sont sans couleur aussi. D'**anodins reflets gris clapotent** les **heures matinales**. Le musée est fermé, laissant pour moi **seul les pierres molles** des **rivages** mélancoliques. L'ennui **s'étire**.
Je **patine** sans effort, **côtoyant** des œuvres **engourdies** par le froid. Sur des **vagues dénudées** glissent des **souvenirs d'enfance** que **l'écume des marbres purs anoblit** de silence. Quelques Titans de pierre **piédestalent leur pouvoir**. Des nymphes sans fatigue offrent leur **candeur** à des **oiseaux que nul chant n'altère**. La mort est sans effort. Immortelle beauté. Cimetière d'élégance.

Des **embryons d'états d'âme marmonnent** des chansons.

Et **dodinant du cou**, cachée par la misère
Ma mère m'apparaît
de dos comme toujours
Culbuto à bascule
Le poids des commissions dans un **cabas trop lourd**

Fuyant le quotidien dans une **robe canicule**
Auréolée de sueur
Gonflée par la fatigue

Dandinant l'ordinaire Waddling out (with) everyday fare

Courbée par l'habitude Bent over by habit

laissant derrière elle leaving behind her

vestales vestal virgins

socle de pierre stone pedestal

jouet mécanique mechanical toy

meuble trop lourd piece of furniture that is too heavy

Mue par un ressort Molting by impulse

balbutiant son destin muttering her fate

courant après le devoir running after duty

Comète incongrue dans un système sans heures Incongruous comet in a universe without time

Se dressant Towering

diurnes daytime

brandit sa progéniture brandishes its offspring

sémaphore sign

sens de l'Histoire meaning of History

Huit pleurants tchadorisés de noir Eight weeping figures in black chadors (Muslim veils)

sénéchal seneschal

gisant recumbent effigy

s'exhibant presque nue exposing her practically nude body

château d'Anet château near Dreux where Diane de Poitiers lived after Catherine de Medici forced her to leave her beloved Chenonceau following the death of Henri II

Arche de néant ourlée d'un promenoir Arch of emptiness hemmed by a covered walkway

J'erre I wander

déambulant walking (as if in a procession)

Pèlerin Pilgrim

soumis à subjected to

endiguer mes craintes to contain my fears

chagrins sorrows

remords remorse

faune majuscule faun in uppercase letters

Qui étreint pour toujours Who clasps forever

lascive lustful

grappes de raisin grapes

tressées plaited

chevelure hair

en tablier in an apron

de comptoir at the (store) counter

D'aller courir sans fin
Quatre bouches à nourrir
Dandinant l'ordinaire
Courbée par l'habitude
Et **laissant derrière elle** une odeur de cuisine !

Sans un regard pour ces **vestales** trop blanches, tête baissée elle passe
entre deux centaures et disparaît petite derrière un **socle de pierre**

comme un **jouet mécanique** sous un **meuble trop lourd**
Elle reviendra peut-être
de dos comme toujours

Mue par un ressort, balbutiant son destin, courant après le devoir.
Comète incongrue dans un système sans heures.

Se dressant, plus énormes encore, d'innombrables statues forment
une barrière de marbre à mes visions **diurnes.** Un lot de Saintes
Vierges **brandit sa progéniture** vers un Christ sans croix, **sémaphore**
inutile, indiquant à son peuple le **sens de l'Histoire. Huit pleurants**
tchadorisés de noir portent au tombeau le corps d'un **sénéchal** de
France. Un **gisant** grandit dans sa vitrine de verre, sous l'œil indifférent
de Diane de Poitiers, **s'exhibant presque nue** sur la fontaine de son
château d'Anet. Arche de néant ourlée d'un promenoir, la cour
Puget s'endort.
J'erre dans cette nécropole, **déambulant** d'un monument à l'autre.
Pèlerin soumis à l'implacable mort. J'achète des souvenirs pour
endiguer mes craintes, donner à mes **chagrins** la forme de mes
remords. Je choisis pour mon père un **faune majuscule. Qui étreint**
pour toujours ma mère **lascive** et nue, des **grappes de raisin tressées**
dans sa **chevelure.**

Sabine **en tablier**, Romulus **de comptoir.**

J'ai choisi le Louvre I chose the Louvre
J'aurais pu choisir le Père-Lachaise I could have chosen the Père-
Lachaise cemetery
C'est pareil They're the same
Un toit en plus One more roof
Les feuilles en moins Fewer leaves

J'ai choisi le Louvre, j'aurais pu choisir le Père-Lachaise.
C'est pareil.
Un toit en plus. Les feuilles en moins.

Quelle longueur atteindraient toutes les salles du Louvre mises bout à bout ?

How long would all the rooms in the Louvre be
if they were placed end to end?

l'avant-salle de la suivante the room right before the next one
arrière-salle room right after
énième umpteenth
bosselé dented
rondouillard pudgy
serpente winds around
Sans même qu'on le connaisse Without anyone even knowing it
métrage length
suscite arouses
convoitise desire, lust
intestin de papier roll of paper
classe du certif' certification class
déroulait unrolled
Je frise I'm on the verge of
boulimie bulimia
fibule a pin that held together clothes in the ancient world
goûtée tasted
La prendre délicatement To pick it up delicately
entre le pouce et l'index between the thumb and forefinger
aspirer suck up
d'un coup in one fell swoop
Sucer les os du temps To suck on the bones of time
Sauter à pieds joints To jump with one's feet together
matelas mattress
si précairement endormi so precariously asleep
Chuchoter To whisper
yeux cernés de lapis-lazuli eyes ringed with lapis-lazuli, a semiprecious
    blue stone
angelots fripons mischievous cherubs
susurraient whispered
belle beauty
alimenter l'imagination feed the imagination

Une salle n'est toujours que **l'avant-salle de la suivante**, elle-même **arrière-salle** d'une **énième** à venir. Un intestin de salles, **bosselé** et **rondouillard**, qui **serpente** comme dans un livre d'école. **Sans même qu'on le connaisse**, son **métrage suscite** la même **convoitise** que l'**intestin de papier** de la **classe du certif'** qu'on **déroulait** avec admiration. Moi qui recherchais la solitude en m'installant ici ! **Je frise** la **boulimie**. Manger ! Manger ! Y aura toujours une petite **fibule** gréco-romaine que je n'aurai pas encore **goûtée**. **La prendre délicatement entre le pouce et l'index**, la porter à sa bouche et **aspirer d'un coup** vingt siècles de mémoire !

Sucer les os du temps. Sauter à pieds joints de la stèle de Sargon au **matelas** de l'hermaphrodite Borghèse **si précairement endormi**. **Chuchoter** à l'oreille de Laromama la lettre du scribe assoupi. Se reposer sur les genoux de l'intendant Ebih-il[1] aux **yeux cernés de lapis-lazuli**…

J'ai passé une journée entière à apprendre par corps les confidences érotiques que les **angelots fripons** de Fragonard **susurraient** à la **belle** du *Feu aux poudres*[2], pour aller ensuite **alimenter l'imagination** des

---

1. The Sumarian statue of Ebih-il, the Superintendent of Mari, is one of the oldest and most celebrated in the Louvre. It dates from 2,400 B.C.

2. Fragonard's libertine *Feu aux poudres* (1778) depicts a comely young woman sleeping languorously under the watchful eyes of two little angels.

coquins rascals

jeunette plantureuse buxom young girl

électron lubrique lecherous electron

fête galante et printanière gallant spring party

d'avoir laissé échapper ma complice allemande of having let my
   German companion get away

d'éloigner d'un étage to separate (them) by a floor

il a failli me faire mourir d'épuisement he almost made me die of
   exhaustion

tronche mug (*i.e.,* face)

bombes de gaz butane butane gas bombs

si sommairement décrites so summarily described

actualités news

Ne retranche point l'eau Thou shalt not take away water

juridiction jurisdiction

ta terre ancestrale your ancestral land

canaux canals

a nourri les âmes has nourished souls

ancre d'apparat decorative anchor upon which the quotation is
   engraved, implying that Islam is like calm seas

apaisants peaceful

dinanderie brasswork from Dinant, Belgium

des plus finement ciselées with the finest chasings

balise le chemin mark the path

bol bowl

sassanides Persian dynasty that ruled between A.D. 224 and 636

n'étalent pas don't spread out

restituent à l'argent restore to the silver

perdreau young partridge

blotti au fond d'un plat pressed against the bottom of a dish

juvénile fragilité youthful fragility

Décor en filigrane Watermark decoration

effet de granulation grainy effect

l'infiniment petit the infinitely small

parure finery

flacon de verre soufflé blown-glass flask

tympans des mosquées en céramique siliceuse tympanums of
   mosques in siliceous ceramic

Enchevêtré Entangled

fils d'Ariane Ariadne's thread, which allowed her to find her way out of the
   labyrinth. The term is used today as a metaphor for navigating the Web.

n'est compliqué qu'en apparence only looks complicated

deux **coquins** que le même peintre a glissés dans le lit d'une **jeunette planureuse** à la *Chemise enlevée¹*. Devant ! Derrière ! Et moi comme un **électron lubrique** dans une **fête galante et printanière²**. J'en venais à regretter **d'avoir laissé échapper ma complice allemande**. Le conservateur qui a décidé arbitrairement **d'éloigner d'un étage** ces deux sœurs libertines, sait-il à quel point **il a failli me faire mourir d'épuisement** ?

L'Islam lui-même n'a pas la **tronche** des **bombes de gaz butane si sommairement décrites** aux **actualités** télévisées du moment.
« *Ne retranche point l'eau* ni la *juridiction* d'un homme de qualité de **ta terre ancestrale** car l'une a fait les **canaux** et l'autre **a nourri les âmes** ». Cette sentence gravée sur une **ancre d'apparat** annonce une mer plus calme. Comme pour confirmer ces sentiments **apaisants**, une **dinanderie des plus finement ciselées balise le chemin**. Le bronze blanc donne à chaque grand **bol** des reflets de lune. Les artisans **sassanides n'étalent pas** ostensiblement une richesse arrogante, mais **restituent à l'argent** sa douceur originelle, et à un **perdreau blotti au fond d'un plat** sa **juvénile fragilité**. **Décor en filigrane, effet de granulation**, je voyage dans **l'infiniment petit**, me glissant entre chaque élément de **parure**, émergeant du moindre **flacon de verre soufflé**. Vient-il d'Iran ou de Venise ? Bien que plus imposants, les **tympans des mosquées en céramique siliceuse** conservent cette même douceur. **Enchevêtré** dans une multitude d'arabesques, je tire un grand plaisir à suivre ces **fils d'Ariane** d'exquise politesse. Le nom même des destinataires de tous ces trésors **n'est compliqué qu'en apparence**. *Taqi al-Dín Ab-u Bakr, Sayf al-Dín al-Malik al-Mudj-ahid`Ali.*

---

1. *La Chemise enlevée* (1767) by Fragonard also depicts a reclining nude surrounded by angels. The *resquilleur* can't decide whether he wants to view the scene from the front or the back.

2. Attributed to Watteau, Fragonard, and their contemporaries, this term refers to the depiction of indulgent pleasure-seeking aristocrats in the early 18th century.

Posément décryptés carefully deciphered

ponctuées punctuated with

cuivre rouge red copper

blason de Rassulides coat of arms of Rassulides, who ruled Yemen
   during the 12th and 13th centuries

à l'écureuil with a squirrel

Isfahan Isphahan, Iranian city famous as a cultural center

couler un fleuve de calligraphie flow a river of calligraphy

se reflètent des nuages de larmes clouds of tears are reflected

habit morning coat

lin linen

ourlé au col finished around the collar

filet rouge et or red and gold mesh

mèche de ses cheveux d'encre lock of his jet-black hair

je sursaute I jump

en entendant parler arabe hearing Arabic spoken

hôte de papier the worker whose uniform and badge the protagonist
   wears

gaiement happily, blithely

tient...d'une main holds...in one hand

seau bucket

balai-brosse stiff broom

coiffé de sa serpillière covered with his mop

tabouret stool

raclette squeegee

flacon de nettoie-vitres bottle of window cleaner

Je peux apercevoir I can make out

Il ne s'agit point (de) It was not at all

signe de reconnaissance ethnique sign of ethnic recognition

société de nettoyage cleaning company

Ils s'éloignent They move away

dérouler la chaîne de l'ancre to unwind the chain of the anchor

définitivement prise caught once and for all

glaces de la vitrine d'exposition glass of the exhibit case

les laisse librement dériver leaves them to drift freely

lointaines banlieues distant (working-class) suburbs

reflet reflection

se brouille becomes blurred

disparaître disappear

Posément décryptés, les noms de ces sultans vous offrent des fleurs de lotus **ponctuées** de la rosette à cinq pétales de **cuivre rouge, blason de Rassulides.**

J'aime à retrouver le jeune homme **à l'écureuil** venu d'**Isfahan** qui, imperturbable, regarde **couler un fleuve de calligraphie** où **se reflètent des nuages de larmes.** Son **habit** est de **lin, ourlé au col** d'un **filet rouge et or** qu'interrompt un temps une **mèche de ses cheveux d'encre.**

Soudain **je sursaute, en entendant parler arabe** juste derrière moi. Deux jeunes hommes dont l'âge doit être proche de celui de mon **hôte de papier**, discutent **gaiement.** L'un **tient** un **seau d'une main**, et de l'autre un **balai-brosse coiffé de sa serpillière.** Son alter ego porte un petit **tabouret**, une **raclette** et un **flacon de nettoie-vitres. Je peux apercevoir** en grosses lettres, dans leur dos, le mot « ABILIS[1] ». **Il ne s'agit point** d'un **signe de reconnaissance ethnique**, mais du label de la **société de nettoyage** qui les emploie. **Ils s'éloignent**, continuant de **dérouler la chaîne de l'ancre** d'Iran. Mais celle-ci, **définitivement prise** dans les **glaces de la vitrine d'exposition, les laisse librement dériver** vers de **lointaines banlieues.**

Je me retourne vers mon compagnon iranien. Son regard semble absent. Son **reflet se brouille** un moment, avant de **disparaître.** Je pleure.

---

1. ALIBIS is the name of the cleaning contractor, but also a pun on the ways in which "non-patrons" gain entry into the Louvre, or into France for that matter.

EDITOR'S NOTE

Just as the narrator feels exhausted from avoiding the notice of guards, from excitement at the sight of comely young women adorning erotic paintings, and from the social fauna visiting the Louvre, he gets a moment of comic relief: a group of twenty-five young Japanese tourists. They are all pretty young women and all appear to him, as to many Westerners, to look exactly alike, with ruby lips and similar clothes. They move dutifully from one object to another in a choreographed ballet, as the male guide draws their attention to objects that would only interest girls of their generation.

Bernard Chenez has a warm place in his heart for Japan and the Japanese people, who have made a considerable effort to understand Western culture, assimilate it, and some might say, surpass it. Chenez spent a number of years in Japan, drawing his impressions of life in Japan for the main Tokyo daily. One of his earlier books, published in 1993, is titled Impressions japonaises *(Editions Denoël). His commentaries are therefore intended to be humorous, not derogatory.*

As an aside, Chenez's wife is Laotian and a French-Japanese interpreter, hence the resquilleur's *comments on the Japanese language.*

Faut pas jurer d'être invincible, même ici

You shouldn't swear to be invincible, even here

me met à genoux sends me to my knees
dos au mur (my) back to the wall
faire le vacancier act like a vacationer
De me laisser porter sur leurs lèvres To let myself be carried on their lips
coquelicots poppies
charnus fleshy
paresseux lazy
mobilier furniture
tasses et sous-tasses cups and saucers
casques à cimier helmets with crests
baldaquins de la Restauration canopy beds from the Restoration
    (1814–30)
gorgés bursting

j'excursionne I play at being a tourist

Attentives aux commentaires Listening closely to the (tour guide's) lectures
chevelures heads of hair
couleur de jais jet-black
plongent *here:* bend over
rondouillard pudgy
forfanterie showing off
équipage *here:* horse and rider
santon de Provence clay figurine made for Provençal Christmas crèches
voltigeur fringant dashing light infantryman
auscultent scrutinize, examine thoroughly
monture mount

La fatigue **me met à genoux, dos au mur**. Résigné, je me glisse au milieu d'un groupe de Japonaises. J'ai choisi de **faire le vacancier. De me laisser porter sur leurs lèvres**, petits **coquelicots** humides et **charnus**. Suivre le guide comme un amant **paresseux**. On annonce déjà les objets d'art. Suivront à coup sûr le **mobilier** royal, les **tasses et sous-tasses** de Sèvres[1], les **casques à cimier,** le vase de Boizot[2], et autres **baldaquins de la Restauration**. Tous **gorgés** d'empires et d'immortelles vanités.

Aujourd'hui, **j'excursionne.**

Première salle. **Attentives aux commentaires**, vingt-cinq **chevelures couleur de jais plongent** d'un même mouvement sur un petit Charlemagne **rondouillard** au bronze modeste. Son cheval prend la pose sans **forfanterie**. C'est un **équipage santon de Provence** plutôt que **voltigeur fringant**. Elles **auscultent** la **monture**, la commentent,

---

1. The Royal Porcelain Manufacture of Sèvres is known for its exquisite tableware and decorative art objects. This area of the Louvre ranks as a favorite of ladies-who-lunch who vicariously refurnish their houses with objects from the royal courts.

2 . This famous ceramic vase, known as *le Grand Vase à fond beau bleu* (1783), is attributed to Louis-Simon Boizot (1743–1809), a celebrated sculptor.

la dissèquent dissect it

tatouage tatoo

nuques napes (of the neck)

carcasse blanche white steed, a reference to Charlemagne's horse

c'est plus de l'art that's no longer art

au japonais in Japanese

parures serties d'or (jeweled) necklaces set in gold

Je ne perds pas mon guide des yeux I didn't let my guide leave my eyes

manche de parapluie umbrella handle

Perle blanche White pearl

rochers noirs black rocks

cortège troop (of children)

trottine trots along

tabi Japanese footwear

déguisées en tennis trois bandes disguised as tennis shoes with three bands

petites fesses little bottoms

cadencent give rhythm to

reliquaire du ciboire ciborium reliquary. A ciborium is a vessel, often made of silver or gold, that holds communion hosts [bread]. A reliquary is a container in which sacred relics are kept.

émaux de Limoges Limoges enamels

Je m'ennuie à mourir I am bored to death

mouroir old people's home

joue les grandes orgues plays a great organ, meaning the audio guide uses an organ music soundtrack for its tour through the Gothic collection

J'en ramasse I pick up

crachouillis sounds of static

écouteurs earphones

tapisseries du Moyen-Âge medieval tapestries

corsètent *in effect:* restrict

étendards standards

ne font pas recette don't cut it

dodelinent déjà de la tête are already nodding their heads

Je somnole I daydream, don't pay attention

couramment fluently

en vieux cabotin like an old ham actor

sûr de son effet sure of his ability to sway his audience

effraie alarms

en découvrant d'un coup revealing in a flash

soupières soup tureens

la dissèquent. Celle-ci porte un **tatouage** à l'intérieur de son postérieur droit. Avant d'être monture impériale, elle est OA8260. Vingt-cinq **nuques** se redressent et laissent derrière elles une **carcasse blanche**. OA8260, **c'est plus de l'art**, c'est du code génétique !

Je ne comprends rien **au japonais**.
Salle suivante. Sans s'arrêter, on chuchote devant des **parures serties d'or. Je ne perds pas mon guide des yeux**, qui brandit un **manche de parapluie** du bout de sa petite main. **Perle blanche** sur **rochers noirs**. Je pars au bout du monde si c'est là où ça va. Le **cortège trottine** des *tabi*, **déguisées en tennis trois bandes**. Vingt-cinq paires de **petites fesses cadencent** ma nonchalance.

Autre salle. On reprend du **reliquaire du ciboire** et des **émaux de Limoges. Je m'ennuie à mourir** mais y a rien à **mouroir**.

Le japonais est une langue difficile.

Le gothique **joue les grandes orgues. J'en ramasse** quelques **crachouillis** tombés de leurs **écouteurs**. Des **tapisseries du Moyen-Âge corsètent**[1] un long tunnel d'Inquisition. Les **étendards** des Gobelins **ne font pas recette**. Quelques-unes **dodelinent déjà de la tête**.

Je somnole japonais **couramment**.

Bernard Palissy[2], **en vieux cabotin sûr de son effet, effraie** mon contingent d'office ladies **en découvrant d'un coup** ses **soupières** où

---

1. *Corseter,* to put on a corset, refers here to the sensation of being "squeezed" by medieval tapestries that line the hall, making visitors feel as if they're going through a trial during the Inquisition.

2. Bernard Palissy (1510–1590), was a celebrated Renaissance potter, famous for his "rustic ceramics." He was a favorite of Catherine de Medici.

grouillent swarm

plus gluantes que nature more sticky than in real life

ses rustiques figulines his rustic earthenware vases

tour de magie magic tower

Toujours aussi terrifiant Still just as terrifying

tricot *here:* pace

On est reçu par un roi We are received by a king

feuilles d'acanthe acanthus leaves

font la révérence curtsy

porcelaine tendre tender porcelain (-like skin)

la Du Barry Madame Du Barry, mistress of Louis XV

porte un trumeau en sautoir wears an overmantel on a long chain

ronronne en rocaille purrs in rococo

sourit à l'Histoire smiles at History

devait être must have been

frère de sang blood brother

du dernier des shôgun of the last of the shoguns

Je peux me passer d'interprète I can do without an interpreter

mélange mix

timbales d'argent silver tumblers

couronnes de laurier laurel wreaths

casque de samouraï samurai helmet

joyaux de la couronne crown jewels

son du shamisen sound of the Japanese three-string lute

trompettes de la renommée trumpets of renown

s'offre is offered

courtisanes d'Edo courtisans of Edo, *i.e.,* Japan

descendance descendants

étouffe stifle

petits cris de bonheur little cries of happiness

pompons blancs white pompons

trônent hold court

Qu'est devenue l'autruche What happened to the ostrich

arrière-petits-enfants great-grandchildren

parc d'Ueno Tokyo zoo

aïeule grandmother

Kawaii (*Japanese*) cute

Kabuki traditional Japanese theater

nuée de papillons horde/swarm of butterflies

sitôt la salle 63 franchie as soon as room 63 is covered

grouillent, **plus gluantes que nature, ses rustiques figulines**. Cinq cents ans après, le **tour de magie** est intact. **Toujours aussi terrifiant.**

La guide accélère le **tricot. On est reçu par un roi.** Les **feuilles d'acanthe font la révérence**, la Pompadour[1] exhibe sa **porcelaine tendre, la Du Barry porte un trumeau en sautoir.** La France **ronronne en rocaille**, le Japon **sourit à l'Histoire.** Louis XVI **devait être frère de sang du dernier des shôgun.**

Je peux me passer d'interprète.

Je **mélange** Pavillon d'or et **timbales d'argent, couronnes de laurier** et **casque de samouraï**, Charles X et l'Empereur Meiji. Devant les **joyaux de la couronne**, le **son du shamisen** accompagne les **trompettes de la renommée.** La fanfare ne va plus nous quitter.

Cinquante-cinquième minute. Le lit de Louis-Philippe[2] **s'offre** aux **courtisanes d'Edo.** Leur **descendance étouffe** des **petits cris de bonheur** devant les quatre **pompons blancs** qui **trônent** à chaque angle du baldaquin.
Qu'est devenue l'autruche qui avait ces plumes-là dans le derrière ? J'imagine ses **arrière-petits-enfants** vivant aujourd'hui captifs au zoo de Vincennes ou dans le **parc d'Ueno** :
« Tu sais ce qu'elle fait maintenant, l'**aïeule** ?
– Elle est pompon au Louvre ! »

« **Kawaii** ! »
Kabuki de vacances. Comme une **nuée de papillons, sitôt la salle 63 franchie**, les petites Japonaises sortent dans la cour. Vingt-cinq

---

1. Placing an article in front of a proper name is a device used to connote a style associated with that person. In France, Madame de Pompadour, Louis XV's mistress, is synonymous with the rococo.

2. Louis-Philippe, the last king of France, reigned from 1830 to 1840. His bed is displayed in the Richelieu Wing.

paires de geta pairs of Asian wooden sandals

jouent du koto play the koto, a 13-string Japanese instrument

en dévalant while rushing down

qui court sur that races across

contreplaqué plywood

plastronné swaggered

grande de as large as

tatami traditional floor covering in Japanese homes, 91 cm x 182 cm, and thereby a unit of measurement for any room, including the narrator's night-time refuge; by extension, it also refers to mats and futons

paires de geta jouent du koto en dévalant les marches du grand escalier.

Le japonais est une langue musicale.
Un orchestre dans chaque salle.
La nuit… Et le ciel si beau **qui court sur** les toits de Paris. La rue de Rivoli si loin. Un orchestre de silence. Jusqu'à mon refuge en **contreplaqué, plastronné** Henri II. Ma chambre, **grande de** vingt-cinq **tatami**.

EDITOR'S NOTE

As the title opposite suggests, it's hard work to keep perfectly silent, to be constantly alone despite the crowds of tourists. This solitude echoes a frequent theme in romanticism. The young man deprived of participating in the Napoleonic campaigns despairs of participating in the new world of the Industrial Revolution and nostalgically turns his attention to the glorious past. The feeling is similar for the resquilleur, *who has no material means but appreciates so keenly the greatness of art, unlike many who can afford the cost of travel, lodging, and paid admission to the Louvre. This is what Walter Benjamin called "fantasmagoria" in* Paris, capital of the 19th Century. *The aimless stroller,* flâneur, *covets the wealth on display in the new luxury stores of Paris but is precluded from entering, let alone buying. The window display, or* étalage de vitrine *is all he's privy to.*

Hence the wonderful flashback to the narrator's boyhood and the way he teamed up with his father, who was a window display designer. In effect, the boy's early experience predisposed him to aesthetic appreciation. We learn of his preference for an early sketch of Theodore Gericault's Radeau de la Méduse *rather than the monumental finished painting. The sketch is fluid, leaving room for hope that somehow the worst horror of the event can be avoided.*

**Le silence qui se confond avec ma solitude
est parfois dur à supporter**

The silence that merges with my solitude is sometimes hard to bear

femme nue couchée
(d'après Ingres)

Je m'oblige I force myself
repaire den
pars à la rencontre de head for
esquisses sketches
précarité precariousness
heures vacillantes irregular hours
Je me retrouve souvent devant I often find myself in front of
étude study
étonnant amazing
j'y surprends I overhear there
touche *here:* brushstroke
ça se bouscule du pinceau it all rushes from the paintbrush
cohue scramble
s'agite tosses and turns
se chamaille squabbles
les mieux placés the best placed
mène le jeu calls the tune
fond background
qui l'œuvre terminée that once the work is finished
à s'asseoir *here:* to be permanently set

Je m'oblige alors à quitter mon **repaire**, et **pars à la rencontre de** quelques **esquisses** dont la **précarité**[1] s'associe le mieux à ces **heures vacillantes.**

Je me retrouve souvent devant la petite **étude** du *Radeau de la Méduse*[2]. C'est **étonnant** la conversation animée que **j'y surprends** chaque fois. Chaque couleur, chaque **touche** n'ayant pas encore trouvé sa place, **ça se bouscule du pinceau.** Cette **cohue** est suffisante pour me rassurer. Ca **s'agite**, ça **se chamaille**, et les personnages ne sont pas **les mieux placés** dans cette histoire : c'est la couleur qui **mène le jeu** ! Le **fond, qui l'œuvre terminée** sera le premier **à s'asseoir**, est

---

1. *Précarité* (precariousness) here has two connotations: the "tentative," as opposed to "permanent," nature of a sketch that will be revised to create a final work and also the "tenuousness" of non-full-time work status. *Précarité* is used to refer to any employment status that does not come with the benefits and security of a full-time job. As such, the word has a powerful social and political resonance.

2. Théodore Géricault's celebrated work, *The Raft of the Medusa*, chronicles the infamous shipwreck caused by a captain's incompetence. In it, realism literally submerges the ideal. The survivors display the darkest instinct of self-preservation, cannibalism, amid futile attempts to wave a distant ship to their rescue. The painting measures 4.91 meters by 7.16 meters, one of the largest of its kind. The scale study that fascinates the *resquilleur* measures 37 cm by 46 cm, but lets us imagine a different ending. This work raises all the issues of verisimilitude and artistic creation, history and current events, preservation and conservancy. The accident took place in 1816; the painting was completed in 1819. It was bought at auction in England by the Louvre in 1824.

peut très bien could very well
d'un coup brusque with one sharp blow
faire disparaître make...disappear
naufragés shipwrecked people
tout juste ébauché just sketched out
à l'horizon on the horizon
Le drame n'est pas joué The tragedy isn't over yet
Plus fort Stronger
accrochée aux holding on tightly to
guenilles servant de voile rags serving as a sail
linceul shroud
peut-être même va-t-il remplir maybe it's even going to fill
tonneau barrel
servant de vigie serving as a lookout post
Allez, courage Hang in there
Je souque I pull hard (on the oars)
m'éloigne move away from
perçois perceive
pénombre half-light
rivage shore
tendre humeur tender mood
On y va Let's go
bien sur les lignes right on the lines
majuscules capitals
Rien dans la marge Nothing in the margin
Vendeur-étalagiste Shopkeeper-window dresser
fier de son métier proud of his job
du sien of his own
lorsqu'il peut le faire précéder when he can make it be preceded
qualificatif term
étalait showed off
son savoir his knowledge
surprendre le passant to surprise the passerby
se faisaient le soir venu were done at night
frôler to come close to
cœur de la nuit the middle of the night
tambour *here:* the revolving door (to the store)
agencer son scénario to put together his display
plaisir croissant growing pleasure
il semblait suivre he seemed to follow
partition parfaitement apprise score that he had learned perfectly
L'ouverture de la chasse The opening of hunting season

encore très turbulent et **peut très bien, d'un coup brusque, faire disparaître** le corps d'un des **naufragés, tout juste ébauché**. Le bateau **à l'horizon** est encore bien visible. **Le drame n'est pas joué** ! Avec un peu d'énergie en plus… **Plus fort**, les cris ! Plus fort, les mouvements de bras ! La vie est encore **accrochée aux guenilles servant de voile** ! Le peintre n'a pas encore choisi son camp, son ciel n'est pas encore un **linceul** définitif, **peut-être même va-t-il remplir** d'eau douce le **tonneau servant de vigie** !

Allez, courage !

Je souque avec plus de vigueur, **m'éloigne** des eaux sombres, et **perçois** dans la **pénombre** le **rivage** de ma **tendre humeur…**

« Je veux bien papa… **On y va, bien sur les lignes**… Avec des **majuscules** et tout… **Rien dans la marge**. C'est pas moi qui ai le stylo rouge. Trop petit encore. Pas faire de faute… La main, papa… la main… »

Vendeur-étalagiste. Il était **fier de son métier** comme un ministre l'est **du sien lorsqu'il peut le faire précéder** du titre de « Premier ». Lui, c'était du second **qualificatif** qu'il était le plus fier. Il **étalait son savoir** dans la lumière d'une vitrine.

Pour **surprendre le passant**, les étalages **se faisaient le soir venu**, allant jusqu'à **frôler** le **cœur de la nuit**. J'avais l'autorisation de rester dans le **tambour** du magasin pour l'observer **agencer son scénario**. Avec sérieux, méthode, et un **plaisir croissant, il semblait suivre** une **partition parfaitement apprise**. Chaque saison était l'objet d'un thème. Mon impatience allait à « **L'ouverture de la chasse** ».

cueillir gather

bruyères heathers

fougères ferns

Assis sur le porte-bagages Seated on the luggage rack

vélo bike

au rebord de la selle de cuir on the edge of the leather seat

buste droit chest straight ahead

jambes écartées legs spread apart

afin d'éviter in order to avoid

pièges des rayons *in effect:* getting caught in the spokes of the bicycle's wheels

je nous voyais rouler I saw us rolling

bosse bump

que faisait le canif made by the pocketknife

sérieux seriousness

abords edge

nous nous enfoncions dans le bois we went into the woods

cavaliers equestrians, (horseback) riders

connu de lui seul known only to himself

pétillait en gouttelettes sparkled with droplets

crosses croziers

ficelés tied up

brassées armfuls

coincées stuck between

camoufler to conceal

Art d'assaut pun on *char d'assaut* = assault tank

chambre à air *in effect:* tire; *literally:* air tube

je fus très déçu I was very disappointed

autochtones natives

infiniment plus importante infinitely larger

monture frame

primaire simple

sans commune mesure in no way comparable

dérailleur trois vitesses three-speed gear shift

entretenait jalousement carefully maintained

réalisation completion

tâche task, job

veiller à ce qu'il y ait to make sure there was

garder to maintain

brocs d'émail enamel-lined jugs

fraîcheur de notre récolte freshness of what we've gathered

Le dimanche précédent, nous partions en forêt **cueillir bruyères et fougères. Assis sur le porte-bagages** du **vélo**, les mains bien accrochées **au rebord de la selle de cuir, buste droit, jambes écartées afin d'éviter** les **pièges des rayons, je nous voyais rouler** sur un soleil d'automne. La **bosse que faisait le canif** dans la poche de mon pantalon me confirmait le **sérieux** de notre mission.

Sans grandes difficultés nous arrivions aux **abords** de la forêt, distante de cinq kilomètres du centre ville. Le vélo posé contre un arbre, **nous nous enfoncions dans le bois** par un chemin réservé aux **cavaliers**. Sans hésitation, mon père se dirigeait vers un endroit **connu de lui seul**, où la bruyère **pétillait en gouttelettes** mauves parmi le tendre vert des **crosses** de fougères.

Au retour, mon père devant moi disparaissait sous des tonnes de feuillages judicieusement **ficelés** tout autour de lui, et le long du cadre du vélo. Quelques **brassées coincées** entre le bas de son dos et mes bras tendus achevaient de **camoufler** notre équipage.

Art d'assaut sur **chambre à air.**

Beaucoup plus tard, **je fus très déçu** quand je découvris sur les routes d'Asie l'ingéniosité des **autochtones** à transporter sur leurs bicyclettes une quantité **infiniment plus importante** de végétaux de toutes sortes. (Je continue d'attribuer ce tour de force à la nature même de leur **monture** rustique et **primaire, sans commune mesure** avec la bicyclette « Automoto » équipée d'un **dérailleur trois vitesses** « Simplex », et que mon père **entretenait jalousement**.)

Pendant les quelques jours qui précédaient la **réalisation** de la vitrine, j'avais pour **tâche** de **veiller à ce qu'il y ait** toujours une quantité d'eau suffisante pour **garder** dans les trois **brocs d'émail** la **fraîcheur de notre récolte.**

apprivoisés tamed

venaient s'ajouter were added

fusils shotguns

gibecières game bags

ceintures de cartouches cartridge belts

faisans empaillés stuffed pheasants

prêtés gracieusement lent free of charge

armurier voisin neighboring gun dealer

panneau sign

se loger entre les doigts raides to be stuck between the stiff fingers

arrière-boutique the back of the store

épars scattered

répartis dans plusieurs cartons strewn about in several boxes

distribution des rôles casting

Je faisais des pronostics I made predictions

cette tête this one

remplir to fill

angelot little angel

Pâques Easter

Mi-carême Thursday of the third week in Lent, midpoint of the Lenten season

agencement arrangement

brocante secondhand goods

acteurs *here:* mannequins

convoqués assembled

laissé au hasard left to chance

mise en place placement

port d'un vêtement the way a garment was worn

contrariait annoyed

mon metteur en scène de père my director of a father

effacés removed

les avait fait naître had brought them to life

se faisait et se défaisait was made and unmade

sans remords without remorse

baguette de frêne ash stick

à grand renfort with a lot of reinforcement

papier de soie tissue paper

redonner des épaules to make the shoulders bigger

socles de tôle disgracieux unsightly metal stands

gallinacés small game

prendre leur envol take flight

fusil en bandoulière (with a) gun slung over their shoulders

Aux feuillages déjà **apprivoisés venaient s'ajouter** les **fusils**, les **gibecières**, les **ceintures de cartouches** et quelques **faisans empaillés prêtés gracieusement** par l'**armurier voisin**. C'est d'ailleurs ce qui était inscrit sur le petit **panneau** qui viendrait, au moment opportun, **se loger entre les doigts raides** d'un des protagonistes.

Pour le moment, les acteurs de la scène attendaient, nus dans l'**arrière-boutique**. À en juger par le nombre de membres **épars** de tous calibres, **répartis dans plusieurs cartons**, la **distribution des rôles** n'était pas encore définie.

Je faisais des pronostics : **cette tête** plutôt qu'une autre. Ce torse imposant, à coup sûr. Mais ces longues jambes de femme semblaient n'avoir aucune chance de **remplir** un pantalon kaki à larges poches latérales. Quant à cet **angelot**, il devrait attendre **Pâques** ou la **Mi-carême** pour connaître la gloire d'une vitrine. J'observais avec le plus grand sérieux l'**agencement** de toute cette **brocante** qui, à cette époque, était pour moi un trésor.

Et puis venait le grand soir. Tous les **acteurs convoqués** attendaient au pied de la vitrine leur entrée dans la lumière. Rien n'était **laissé au hasard**. Aucune hésitation. Si la **mise en place** d'un accessoire ou le **port d'un vêtement contrariait mon metteur en scène de père**, ils étaient aussitôt **effacés** avec la même conviction que le geste qui **les avait fait naître**. La vie **se faisait et se défaisait sans remords**.
L'anatomie des mannequins était bien approximative, et à l'aide d'une longue **baguette de frêne, à grand renfort** de **papier de soie**, mon père savait faire disparaître une articulation trop raide, ou **redonner des épaules** au chasseur anonyme. La fougère venait couvrir les **socles de tôle disgracieux**, indispensables pour assurer la stabilité des membres de la troupe.

Les trois **gallinacés** pouvaient parader dans la bruyère ou **prendre leur envol** au bout d'un fil de nylon, **fusil en bandoulière**, les postulants

cible target
porte-monnaie wallet
badauds du premier matin early-morning gawkers

Si les années lui avaient été données *in effect:* If he had lived long enough
peignant painting
nocturne evening
secrets de métier trade secrets
l'aurait initié à would have introduced him to
vernis varnishes
qui sont à la peinture which are to the painting
ce qu'une vitrine est à un étalage what a (shop) window is to a display
l'alchimie des reflets the alchemy of reflections
aurait vanté les mérites would have sung the praises
clair-obscur chiaroscuro, the interplay of light and shadow
loué la vérité praised the realism
vitrines aux néons shop windows with neon lights
frondaisons foliage
d'égale force *here:* of equal capacity

à l'écoute de listening to
j'aurais mélangé I would have mixed
préparé les toiles prepared the canvases
agencé les accessoires arranged the props
lorgner du côté to sneak a look at
se retrouver to get together

Enhardis Emboldened
Puisant Drawing from
nous aurions su convaincre we would have known how to convince
jouer les intermittents to be contract players
devanture de province provincial shop window
vantant touting

Je marchande avec Delacroix I haggle with Delacroix over
incontournables essential
Plonge Plunge

au rôle de Tartarin[1] n'avaient pour **cible** que le **porte-monnaie** des **badauds du premier matin**.

Mon père n'a pas eu le temps de voyager.
Si les années lui avaient été données, il aurait, au Louvre, fait la connaissance de Van Dyck[2] **peignant** Charles Ier partant à la chasse. Dans l'intimité d'une **nocturne**, ils auraient échangé quelques **secrets de métier**. Le maître **l'aurait initié** à la technique des **vernis qui sont à la peinture ce qu'une vitrine est à un étalage** : l'alchimie des reflets. Le Flamand **aurait vanté les mérites** du **clair-obscur**, et mon père, **loué la vérité** de la lumière froide des **vitrines aux néons**. Pour l'agencement des **frondaisons**, ils étaient **d'égale force**, j'en suis sûr.

Élève docile, **à l'écoute** de ces deux maîtres **j'aurais mélangé** les pigments, **préparé les toiles, agencé les accessoires**. En secret, j'aurais commencé à **lorgner du côté** de Watteau : il est normal que la jeunesse aime à **se retrouver**.

Enhardis par ce premier voyage, nous aurions fait le tour du musée. **Puisant** au contact des maîtres autant d'idées décoratives qu'il est possible. Nul doute que **nous aurions su convaincre** quelque musicien de Véronèse de quitter un moment les *Noces de Cana* pour **jouer les intermittents** dans une **devanture de province vantant** les mérites du mariage.

En l'absence de mon père, je n'ai pas renoncé à mon rôle d'intermédiaire. **Je marchande avec Delacroix** quelques accessoires **incontournables** pour les thèmes du printemps de la liberté. **Plonge**

---

1. Tartarin (de Tarascon) is a popular character, created by Alphonse Daudet, who brags about his hunting exploits; here, though, the target is not elusive game but wallets.

2. Flemish artist Anthony Van Dyck (1599–1641) was from 1632 the court painter to Charles I. In addition to his numerous portraits, he painted religious and mythological subjects and even some watercolor landscapes.

parées des maillots de la prochaine saison arrayed in the latest
    swimwear
les obligeant à forcing them into
génie andalou Andalusian genius—Pablo Picasso, who was born in
    Málaga
les fêtes de fin d'année end-of-the-year holidays
location rental
luth lute
sous le regard étonné under the astonished gaze
J'échafaude I put together
qui se sont éteintes that are extinguished

les *Femmes d'Alger[1]*, **parées des maillots de la prochaine saison**, dans le *Bain Turc[2]*, **les obligeant à** quelques contorsions inspirées par un **génie andalou**. Et je négocie pour **les fêtes de fin d'année** la **location** d'un **luth** avec Frans Hals[3] **sous le regard étonné** des gardiens du temple.

J'échafaude des vitrines **qui se sont éteintes.**

---

1. *Femmes d'Alger dans leur appartement* (*Algerian Women*) was painted by Delacroix in 1834. It hangs in the Denon Wing, first floor.

2. *Bain Turc* (*Turkish Bath*, 1862) is a painting by Jean-Auguste-Dominique Ingres (1780–1867). While Ingres was, for a time, the acknowledged leader of the classical school, there was an unmistakable degree of sensuality in many of his paintings. The fluidity and grace of his form influenced many later painters.

3. *Buffoon with a Lute* (1623–24) is a painting by Dutch artist Frans Hals (c.1581–1666). It hangs in the Richelieu Wing, on the second floor.

EDITOR'S NOTE

In the previous chapter, we learned of a special social status granted to performing artists: les intermittents du spectacle. *In the French system, performing artists who only play intermittent gigs earn a living wage with support from the state welfare system. The system has arguably been much abused, largely by major television broadcasters, and may well disappear, though not without protest. Another such status is the RMI,* revenue minimum d'insertion, *granting a subsistence wage to the chronically unemployed. The beneficiary is called an* érémiste, *a neologism derived from the French pronunciation of the letters. Like* chômeur *(unemployed person),* érémiste *has come to denote a social status, not just an unfortunate person; both classes stimulate considerable political debate.*

In this humorous treatment of a persistent social issue, there is actually an exchange of dialogue with the lazy, late-for-work, and inattentive women working the cloak room. The public entrusts personal and often valuable belongings to these civil servants whose jobs are never in jeopardy, unlike the fate of the narrator, a skilled laborer, who has been laid off and never rehired. Is being a petty thief equally legitimate? That is the question inherent in the title.

Je m'accepte mieux en voleur qu'en érémiste

I like myself better as a thief than as a welfare recipient

Quelle foutue idée What a damn stupid idea
revoir revise
disposition layout
où l'on s'éternisait where one waited forever
dont j'ai pu apprécier of which I could appreciate
vient d'être scindé en deux just got split in two
rampes de distribution serving lines
caisses cash registers
files d'attente waiting lines
protégés par une vitre protected by a pane of glass
se tient au garde-à-vous stood guard
désormais henceforth
Gare à celui Beware to anyone
décapsule sa cannette pops the top off his bottle

vestiaire coat check
engrotté *in effect:* ensconced
complice accomplice
manège carousel
épisodiquement souriante sporadically smiling
inox poli polished stainless steel
jeton token
pelure fur coat
portemanteau coathanger
À peine le temps Barely enough time
s'agglutiner à to get squeezed in with
fringues gear
de son acabit of the same kind
pardessus overcoat
sombres méandres dark mazes
entrailles bowels
en contremaître averti as an experienced foreman
forfait terrible crime

Quelle foutue idée de **revoir** la **disposition** du self-service ! Le grand comptoir, **où l'on s'éternisait** dans une queue **dont j'ai pu apprécier** les avantages et la convivialité, **vient d'être scindé en deux.** Deux **rampes de distribution**, quatre **caisses**, huit fois moins de **files d'attente** ! Et si ce n'était que ça… À présent, les plats se retrouvent **protégés par une vitre**, un serveur **se tient au garde-à-vous** derrière chaque catégorie d'assiettes, bref, sous couvert d'élégance et de service, le moindre de vos gestes est **désormais** surveillé. **Gare à celui** qui **décapsule sa cannette** avant la caisse !

Le grand **vestiaire engrotté** sous les escaliers du pavillon Richelieu devient tout naturellement mon **complice**. Le **manège** est amusant : vous donnez votre vêtement à l'une des quatre hôtesses, **épisodiquement souriante** derrière le comptoir en **inox poli**, et celle-ci en échange d'un **jeton** emmène votre **pelure** faire un tour de manège. Au numéro du jeton correspond un **portemanteau** suspendu à un rail par une chaîne mobile. **À peine le temps** de vous assurer du regard qu'une partie de vous-même s'en va gaiement **s'agglutiner** à d'autres **fringues de son acabit**, et hop ! en avant le train fantôme. Votre **pardessus** disparaît dans les **sombres méandres** des **entrailles** du Louvre…
…Dans les sombres méandres des entrailles du Louvre ?…
C'est **en contremaître averti** que je décide d'accomplir mon **forfait.**

131

Ça coince encore   It's jammed again

Posant bruyamment   Setting down noisily

caisse à outils   toolbox

sur le bord   on the edge

j'accentue du geste   I emphasize with a gesture

en montrant le côté   motioning to the side

le plus profond   the deepest

j'viens d'arriver   I just got here

ne quitte pas des yeux   doesn't take her eyes off

bouquin   book

qui la colle à sa chaise   that has her glued to her chair

en panne   out of order

ce machin-là   that thing

préposées   (female) attendants

croient bon de ne point me voir   think it's best not to look at me at all

J'ausculte   I carefully examine

galets   rollers

tournevis   screwdriver

chariot   trolley

au fond   to the back (of the coat room)

Ne mettez en route   Don't start it

que quand je vous le dirai   until I tell you

me broyer les phalanges   grind up my fingers

cartes bancaires   credit cards

carnets de chèques   checkbooks

organisés de la chourave   *in effect:* professional thieves

seul le liquide compte   only cash counts

monnaie   pocket change

billets compris   including bills

précieux butin   precious booty

scories   dregs

trousseaux de clés   bunches of keys

briquets   lighters

lésé   wronged

se remémorer   recall

volutes de fumée   curls of smoke

entrevues   seen, glimpsed

Qu'il ne puisse penser d'abord qu'à son argent   That he would think of his money first

serait lui accorder   would be to give him credit for

bien peu de hauteur d'esprit   very little nobility of mind/spirit

132

« Alors, mes p'tites dames ? **Ça coince encore**, le rail du fond ? »
Posant bruyamment ma **caisse à outils sur le bord** du comptoir,
j'accentue du geste la colère de la voix, **en montrant le côté** du
vestiaire situé à ma droite, **le plus profond**.

« Moi, j'en sais rien, **j'viens d'arriver**… Et toi, Danielle, tu sais ? »
Danielle sait peut-être, mais **ne quitte pas des yeux** le **bouquin qui
la colle à sa chaise**.

« De toute façon, c'est toujours **en panne ce machin-là**. »
Les deux autres **préposées** au vestiaire de gauche **croient bon de ne
point me voir**. Après tout, je m'adresse au vestiaire de droite. **J'ausculte**
le rail qui se trouve juste devant moi, bien dans la lumière.

« M'ouais, ça a l'air de rouler ici… » dis-je. Faisant tourner entre deux
doigts les petits **galets** entraînant les portemanteaux, je m'assure, un
tournevis dans l'autre main, du bon fonctionnement du **chariot**.

« Bon… j'vais aller au **fond**. Mais attention ! **Ne mettez en route
que quand je vous le dirai** ! Sinon, vous pourriez **me broyer les
phalanges** !»

Danielle continue de suivre le héros de son roman, mais celle qui
Sait-pas-parce-qu'elle-vient-juste-d'arriver commence à regretter de ne
pas être *Encore-en-retard-à-cause-du-métro-de-ce-matin*.

« Oui… bon d'accord… j'touche à rien tant qu'on m'dit rien. »
Les **cartes bancaires**, les **carnets de chèques**, c'est pour les **organisés
de la chourave**. Pour le solitaire, **seul le liquide compte**. Avantage
technique : la **monnaie**, **billets compris**, est le plus souvent dans les
poches extérieures. Dans la demi-obscurité il faut juste choisir entre
le **précieux butin** et toutes ses **scories**, **trousseaux de clés**, paquets
de cigarettes, **briquets**, tickets de métro… Ainsi le visiteur **lésé** pourra
toujours rentrer chez lui, conduire sa voiture, ou **se remémorer** dans les
volutes de fumée toutes les beautés **entrevues**. **Qu'il ne puisse penser
d'abord qu'à son argent serait lui accorder bien peu de hauteur**

J'épargne I spare

blousons light jackets

vestes heavy jackets

manteaux coats

Faut pas mettre la jeunesse en colère You shouldn't make young people angry

mômes kids

revient brailler come back bawling

chouravé stolen

porte-monnaie Marsupilami wallet decorated with the likeness of a popular comic-strip character

ça vous escouille *(vulgar)* castrate; *here:* neutralize

Outre que Apart from the fact that

poches de fortune *in effect:* pockets with money in them

souci trouble

me déplacer to move around

je ressors du noir I reemerge from the dark

fier proud

grèves strikes

Poussant mon forfait Carrying out my crime

jusque dans down to

j'assure le service après-vente I guarantee after-sale support

l'œil scrutateur with a searching look

allégés *here:* relieved of, made lighter

muets de s'être fait peloter le boutonnières speechless at having had their buttonholes groped

manège à fripes carousel of secondhand clothes

d'esprit. En quittant le Louvre, ils habitent tous Versailles[1].
J'épargne les enfants. Les petits **blousons**, les petites **vestes**, les petits **manteaux**. **Faut pas mettre la jeunesse en colère**. Et puis une classe de trente **mômes** qui **revient brailler** devant le vestiaire qu'on lui a **chouravé** le contenu de son **porte-monnaie Marsupilami, ça vous escouille** son voleur !

« Avancez un peu, pour voir… allez-y… stop ! » **Outre que** ces ordres justifient ma présence au fond du vestiaire, je peux ainsi choisir mes **poches de fortune** sans même avoir le **souci** de **me déplacer**.
« Avancez encore un peu… stop ! Oui, c'est bon… encore un peu… Stop ! »
Dix minutes après, **je ressors du noir**, **fier** de mon œuvre.
« C'était quoi ?
– C'était rien ! »
Combien de fois ai-je remarqué que le *c'était rien* rassure beaucoup de monde. *C'était rien*, il n'y a donc rien eu. Et celle qui *N'en-sait-rien-parce-qu'elle-vient-juste-d'arriver* pourra tout à l'heure *Partir-un-peu-plus-tôt-à-cause-des-grèves* sans avoir le souci de se souvenir de moi.
Poussant mon forfait jusque dans le souci du détail, **j'assure le service après-vente** en restant quelques instants devant la chaîne de vêtements, **l'œil scrutateur** surveillant le bon fonctionnement du matériel.
Je vois revenir les manteaux **allégés** de quelque monnaie, les boutons ronds de stupeur mais **muets de s'être fait peloter les boutonnières** dans ce **manège à fripes**.

---

1. Versailles, home of the famous château, is an upscale bedroom community west of Paris that is synonymous with wealth, power, and prestige.

EDITOR'S NOTE

When transitions are achieved with little difficulty, the French say "c'est passé comme une lettre à la poste," *or "it was as easy as dropping a letter in the mail box." But each letter has a stamp, canceled by a civil servant. Like a canceled stamp, the* resquilleur's *routine days are obliterated, lulling him into a false sense of security. The author seems to be saying that even a freeloader in the Louvre can get into a routine and eventually feel a sense of entitlement, in much the same way as a securely employed civil servant. He extends the metaphor by saying that civil registries record parentage and the place and date of one's birth but do not reveal spiritual ancestors, the artists who speak to a person's soul. For the* resquilleur, *this* géniteur émotionnel *is the artist Jean-Francois Millet.*

Millet, more than any other, poignantly understood and depicted the peasant, rarely distant from the dust whence he came and to which he would return. While he can appreciate the carefree beauty of the fêtes galantes *of Watteau and Fragonard, with their depictions of the aristocracy at play, the* resquilleur *can only gaze from afar at these people. But he feels an emotional bond with the proletariat from which he came, and to which he still belongs. Enduring relentless work by the sweat of their brow, Millet's characters and their hard-scrabble environment speak to his soul in a way no other works in the Louvre can.*

Millet's work signaled a break with the domination of academism, which was taken a step further by the school of Barbizon, picked up by the English landscape painters, and sealed once and for all by the impressionists. Similarly, Millet's paintings mark the break between the Louvre's collection and that of the musée d'Orsay. Both museums have works by the artist in their collections, making Millet a bridge—and common denominator—between the two institutions.

136

**J'oblitère mes journées
comme d'autres tamponnent des timbres**

I cancel my days the way others postmark stamps

gîte *here:* room; *also:* shelter

couvert *here:* board; *also:* table setting

commodités fonctionnelles functioning conveniences

satisfont pleinement à fully satisfied

L'étendue The expanse

nombre de many

chargé de mission auprès des representative to

grands formats large-scale works

viennent se mêler come to mingle (with)

Il s'en est fallu d'un rien que je n'y ajoute I very nearly put

tanière lair

grandes courbes *in effect:* wide arcs

j'effectuais I made/traced

à vive allure at high speed

cercles lents et réguliers slow and regular circles

Creusant Cutting

tableau painting

hachures de burin hatchings of the chisel

graveur engraver

cisèle chases (decoratively indents with a tool)

plaque de cuivre sheet of copper

le musée d'Orsay The Orsay Museum features art from 1848 to 1914.
The Louvre has managed to hang on to some French paintings that
date from the 1870s, but at that point the collection "leaves" and heads
across the Seine.

musarder to wander around, dawdle

milieu de matinée mid-morning

Je marche déjà moins vite. Le **gîte**, le **couvert**, les **commodités fonctionnelles** à tous les étages, **satisfont pleinement à** mes besoins. **L'étendue** de mon empire précaire couvre maintenant **nombre de** départements, et je me suis proclamé prince d'islam, consul des objets d'art, comte de la peinture **chargé de mission auprès des grands formats**. Quelques statues emblématiques **viennent se mêler** aux poteries des antiquités grecques et romaines, situées dans mon antichambre. **Il s'en est fallu d'un rien que je n'y ajoute** devant ma **tanière** deux pots de géranium, qui sont la Légion d'honneur des balcons de concierge.

Les **grandes courbes** que **j'effectuais à vive allure** les premiers jours se sont peu à peu transformées en **cercles lents et réguliers**. Creusant devant chaque **tableau** une trace précise et tendue, semblable aux **hachures du burin** que le **graveur cisèle** sur sa **plaque de cuivre**.

Je suis un roi nu de solitude.

Est-ce à cause de la lumière ? C'est au deuxième étage de la Cour carrée, là où la peinture française quitte le Louvre pour **le musée d'Orsay**, que j'aime à **musarder**. Chaque **milieu de matinée** m'emmène dans la

arabisants Arabist

vivement peints vividly painted

repère point of reference

registres d'état civil civil registries

Ils ne vous en procurent pas They don't give you

pissotières urinals

tagué wrote graffiti on

trains de banlieue commuter trains

Qu'importe What does it matter

chef-lieu administrative capital

Vaucluse department in southeastern France. The *chef-lieu* is Avignon.

agglomération des Bouches-du-Rhône developed areas of the Bouches-du-Rhône, the department in southeastern France that stretches from Arles to Marseille and includes Aix-en-Provence.

commune de l'Eure town in the Eure, a department in Normandy

avoir vu le jour to have been born

demoiselles d'Avignon girls of Avignon, title given by surrealist Max Jacob to a painting (1907) by Pablo Picasso, now in the MOMA

ouvert les yeux sur opened one's eyes on

montagne Sainte-Victoire mountain outside Aix-en-Provence that was often painted by Paul Cézanne

fais ses premiers pas taken one's first steps

bords banks

étang pond

Giverny town in Normandy where Claude Monet's house is located. Its gardens and ponds were the subject of the artist's famous Nymphéas (Waterlilies) series, painted shortly before his death.

vous fait d'un coup make you just like that

héritier heir

rejeton offspring

transparence transparency

progéniture progeny

nénuphar waterlily

caché hidden

n'ont qu'à have only to

leur appartient belongs to them

en droite ligne in a straight line

rocher de Castel Vendon rocky promontory at the northwest corner of the Cotentin, the land mass that juts out into the English Channel between Brittany and Normandy

campagne italienne de Corot[1], quelques objets **arabisants, vivement peints** par Delacroix, me servent de **repère** pour arriver, là, sur un seul mur, devant les gens de Millet.

Les **registres d'état civil** sont bien austères. Ils vous donnent le lieu et l'heure de votre naissance. **Ils ne vous en procurent pas** la nostalgie. À toute vie répond une œuvre d'art. Nasseredine Dinet[2] a peint la Kabylie, Léger[3], des usines, Duchamp[4] a signé des **pissotières**, Jean-Michel Basquiat[5] **tagué** des **trains de banlieue. Qu'importe** d'être né dans un **chef-lieu** du **Vaucluse,** dans l'**agglomération des Bouches-du-Rhône** ou dans une **commune de l'Eure.** *Mais* **avoir vu le jour** en compagnie des **demoiselles d'Avignon, ouvert les yeux sur** la **montagne Sainte-Victoire** ou **fait ses premiers pas** sur les **bords** d'un **étang** de **Giverny, vous fait d'un coup héritier** d'une couleur, **rejeton** d'une **transparence, progéniture** de **nénuphar.**

Tous ceux à qui on a **caché** leurs origines **n'ont qu'à** lever la tête : le ciel de Chagall[6] **leur appartient.**

Je descends **en droite ligne** du **rocher de Castel Vendon**, et des

---

1. French painter Camille Corot's (1796–1875) landscapes announced the dawn of impressionism. His works hang on the third floor of the Sully Wing.

2. Nasseredine Dinet (1861–1930) was a French painter who converted to Islam and lived from 1905 in Kabylia, Algeria.

3. Fernand Léger, (1881–1955), initially a Cubist, developed a hard-edged style and used objects of the industrial age as subjects of his paintings.

4. Franco-American painter Marcel Duchamp (1887–1968) invented so-called "ready-mades," simple objects that he claimed rose to the dignity of art by the sheer choice of the artist. The *resquilleur* refers to Duchamp's famous "Fountain" (1917), an upside down *pissotière* (urinal), signed R.J. Mutt (the manufacturer's name) to hide the artist's identity.

5. American painter Jean-Michel Basquiat (1960–1988), the son of a former Haitian minister of the Interior, started his career as a graffiti artist on the streets of New York and eventually became a successful neo-expressionist. He died of a drug overdose.

6. Russian-born French painter and stained-glass artist Marc Chagall (1887–1985) had the rare privilege of having an exhibition of his works at the Louvre in 1977.

tempêtes du Raz Blanchard coastal spot known for its violent currents and winds

décoiffent tousles

côtes de la Manche coasts of the English Channel

phare de Goury the 48-meter-high Goury lighthouse

géniteur émotionnel emotional procreator

ils s'acharnaient sur they were going at it

croûte crust

champ en équilibre flat field

falaise âpre et nue harsh and bare cliff

caillasses grosses comme leurs têtes stones as big as their heads

tas piles

tous les vingt mètres environ approximately every twenty meters

chanvre hemp

naufrage shipwreck

leur servait de mesure served them as a measuring tape

Ils sarclaient They hoed

rustique sillon rustic furrow

elle s'alanguissait it grew languid

à même le sol on the bare ground

dégageant à l'abri giving off from the shelter (of)

meule de foin haystack

Partition Musical score

hoquette hiccup

alambic still

bouilleurs de cru bootleg distillers

dans le sens de la longueur lengthwise

lave visqueuse gooey lava

mouvement ouvrier en gestion first hints of a workers' movement

foin hay

paille straw

grasse *here:* lush

chaumières thatched cottages

Acharnés à la besogne *in effect:* Working assiduously

enfourne le pain puts the bread in the oven

vanne winnows

blé wheat

pénombre de la grange half-light of the barn

s'emplit is filled (with)

indécise poussière d'or vague golden dust

tempêtes du Raz Blanchard, qui **décoiffent** les **côtes de la Manche** du **phare de Goury** à Cherbourg[1]. Mon **géniteur** émotionnel, c'est Jean-François Millet.

La première fois que je les ai vus, **ils s'acharnaient sur** la **croûte** d'un **champ en équilibre** au bord d'une **falaise âpre et nue** du cap de la Hague. Ils en sortaient des **caillasses grosses comme leurs têtes**, qu'ils mettaient en **tas tous les vingt mètres environ**, un bout de **chanvre** récupéré d'un **naufrage leur servait de mesure. Ils sarclaient** ensuite ce **rustique sillon**. La terre à ce moment-là prenait une couleur brune et chaude, **elle s'alanguissait**, prête à donner la vie.

Plus loin, allongé **à même le sol**, il n'y avait ni femme ni homme, mais une masse de viande humaine **dégageant à l'abri** d'une **meule de foin** une odeur forte. **Partition** primitive d'un orchestre barbare, elle respirait comme **hoquette l'alambic** des **bouilleurs de cru**. L'envie de l'ouvrir en deux **dans le sens de la longueur** était grande, tant je pouvais imaginer la **lave visqueuse** d'un **mouvement ouvrier en gestation**. Préhistoire sociale.

Ils dorment.

Le **foin**, la **paille**, la terre humide et **grasse**, l'intérieur sombre des **chaumières**, je pourrais y vivre sans être suspecté. Ici, chacun va à son ouvrage… **Acharnés à la besogne**, elle **enfourne le pain**, lui **vanne** le **blé**, perdus dans la **pénombre de la grange**. L'atmosphère **s'emplit** d'une **indécise poussière d'or**, ne laissant deviner que les

---

1. Cherbourg is a French port on the English Channel. The area around Cherbourg is Millet's native country, which he painted later in life. Bernard Chenez's also hails from this area. The latter comes by his affective bond honestly.

chevilles épaisses thick ankles

farouches mains savage hands

vanneur winnower

affairé à extraire busy extracting

Ils n'ont pas de regard *in effect:* They have a vacant stare

on dirait qu'on leur a arraché les globes oculaires you'd think their eyeballs have been ripped out

comme on ouvre deux huîtres like you open two oysters

bac en bois wooden tub

lessiveuse washerwoman

linge linens

gros cotons thick cottons

drap épais thick sheet

lin lourd heavy linen

une fois gorgés d'eau once (they were) soaked with water

important *here:* larger

ne pouvait le laisser supposer would lead you to believe

lessive laundry

rude bonne femme rough (country) woman

taille du pichet size of the pitcher

eau bouillant boiling water

me paraissait seemed to me

énorme cuve enormous vat

dernière cruche fumante last steaming jugful

débordait spilled out of

cafetière primitive primitive coffeepot

munie d'un filtre géant equipped with a giant filter

âcre acrid

fermement tenu firmly held

qu'on les imaginait sortis du sol même you think of them as sprung from the very soil

maniaient la chimie handled chemistry

rudesse roughness

sécher to dry

brûler to burn

varech kelp

soude soda

précieux engrais precious fertilizer

l'arracher à la mer pull it out of the sea

poignée de cheveux handful of hair

retenue au fond des criques grabbed from the depths of creeks

144

chevilles épaisses et les **farouches mains** du **vanneur affairé à extraire** le grain de la terre dont il est lui-même issu.

Ils n'ont pas de regard, on dirait qu'on leur a arraché les globes oculaires comme on ouvre deux huîtres.

Le gros **bac en bois** de la **lessiveuse** ne m'avait d'abord point étonné. Diable ! Ils en avaient donc du **linge**, ces gens-là ! Ou plus simplement, pensé-je, les **gros cotons**, le **drap épais** et le **lin lourd** occupent, **une fois gorgés d'eau**, un volume beaucoup plus **important** que leur nombre **ne pouvait le laisser supposer**. Elle y allait de sa **lessive**, cette **rude bonne femme** ! Quand même, la **taille du pichet** pour verser l'**eau bouillante me paraissait** bien disproportionnée au volume de l'**énorme cuve**. À ce jeu, le contenu de la bassine serait devenu froid au moment de verser la **dernière cruche fumante**. Un tissu **débordait** le récipient de toutes parts, donnant à l'appareil des allures de **cafetière primitive munie d'un filtre géant**.

Mais que pouvait-elle filtrer ? L'odeur **âcre** de cette vapeur blanche et dense qui sortait du pot **fermement tenu** m'intriguait…

Ces paysans, si rustiques **qu'on les imaginait sortis du sol même** qui les porte, **maniaient la chimie** avec la même **rudesse**. Ils savaient **sécher** et **brûler** le **varech** afin d'en faire de la **soude**, **précieux engrais** qui nourrissait la terre. Le mal qu'ils se donnaient pour **l'arracher à la mer**, comme une **poignée de cheveux retenue au fond des criques**,

cohue des vagues crash of waves

rongerie du sel eroding effect of salt

bois flottants acérés des épaves floating (pieces of) sharp wood from wrecked ships

récolte harvest

la remonter à dos d'homme to bring it back up on a man's back

le long de ces falaises presque à pic along these almost sheer cliffs

le moindre faux pas the slightest wrong step

menaçait du vide threatened (to send them into) the void

Croulant sous la charge Buckling under the weight

linceul baveux dripping shroud

bascule falls over

aille se briser crashes

entassements de rocs piles of rocks

squelette skeleton

corsète constricts

chaumières thatched cottages

noirceur des soutanes blackness of cassocks

desseins designs

accouplements furtifs furtive couplings

enfoui buried

exigence de la survie *in effect:* what's required for survival

sous sa forme la plus sommaire et vitale in its most basic and vital form

gent ecclésiastique *in effect:* the priesthood, holy orders

seule éclaircie only bright spot

fourbues exhausted

plaisir craintif fearful pleasure

serviteur des âmes servant of souls, *i.e.*, priest

apaisait fermement appeased firmly

saillies bien charnelles (*euphemism*) rolls in the hay

Ressassant Churning

rancœur resentment

versa pours

cruche brûlante boiling hot pitcher (of water)

bac tub

glouglous crasseux filthy bubbles

battoir (laundry) beater

coup de poignet flick of the wrist

haillon de soutane rag of a cassock

dans la **cohue des vagues**, la **rongerie du sel** et les **bois flottants acérés des épaves** !…

Les travailleurs de la mer méritaient bien ici leur nom. La **récolte** faite, il fallait encore **la remonter à dos d'homme le long de ces falaises presque à pic**, que **le moindre faux pas menaçait du vide**. **Croulant sous la charge** de ce **linceul baveux**, il arrive quelquefois que l'équipage **bascule** au fond, et **aille se briser** sur ces **entassements de rocs** qui sont le **squelette** de la mer.

La religion **corsète** ce peuple-là. L'obscur décor des **chaumières** se mêle à la **noirceur des soutanes**, avec une telle constance que l'instinct animal y fomente aussi les plus sombres **desseins**.
Les enfants d'ici étaient le plus souvent le fruit d'**accouplements furtifs**, non pas que l'amour ne fût pas présent, mais tellement **enfoui** sous le labeur et l'**exigence de la survie** qu'il n'apparaissait d'ordinaire que **sous sa forme la plus sommaire et vitale**.

La **gent ecclésiastique** devenait alors très séduisante, car elle offrait la **seule éclaircie**, la seule compensation spirituelle à la terrifiante condition humaine. Et les apocalyptiques descriptions de l'enfer apportaient aux femmes **fourbues** un **plaisir craintif** que le **serviteur des âmes apaisait fermement** de quelques **saillies bien charnelles**.

Ressassant sa **rancœur**, sans précipitation, d'un geste sûr, la matrone **versa** encore une **cruche brûlante** dans sa lessive. Le **bac** vomissait des **glouglous crasseux**. Elle posa calmement son pot, saisit son **battoir** et retira d'un solide **coup de poignet** un **haillon de soutane**. Elle

touilla de nouveau   stirs again

brouet   gruel

raviva ses glouglousseries   starts making its gurgling sounds again

écuma   scoured

lambeaux noirâtres   blackish rags

trépied   three-legged stool

reins cambrés   (with her) back arched

dissoudre les chairs   to dissolve the carnal traces

infâme bouillie   disgusting boiling liquid

déglutit   bubbles over

espaça ses rots   *in effect:* burps intermittently

Poings fermés sur les hanches   Fists on her hips

se courber   bending over

elle jugea sa besogne faite   she decided her work was done

De trois coups de sabot   With three kicks of her clogs

braises de la cheminée   embers in the fireplace

boutons de nacre noire   black shell buttons

le soir tombant   at nightfall

ficeler   tie up with a string

rustique filtre de toile   rough canvas filter

du haut de la falaise   from the top of the cliff

touilla de nouveau. Le **brouet raviva ses glouglousseries**. Elle **écuma** encore quelques **lambeaux noirâtres**. Et remit le battoir au bas de son **trépied**. Elle se posta là, immobile, les **reins cambrés**, contemplant sans émotion apparente la mixture qui finissait de **dissoudre les chairs** d'un serviteur de Dieu.

L'infâme bouillie déglutit encore et puis **espaça ses rots**. **Poings fermés sur les hanches**, sans même **se courber**, **elle jugea sa besogne faite**.

De trois coups de sabot elle poussa jusqu'aux **braises de la cheminée** quelques petits **boutons de nacre noire**.

Je la vis, **le soir tombant**, **ficeler** le **rustique filtre de toile**, et **du haut de la falaise**, jeter le tout à la mer.

EDITOR'S NOTE

Millet once said that the forest of Fontainebleau, wherein nestles the village of Barbizon, ebbs and flows as much as the sea. The title of this chapter is consonant with that notion. The chapter is also an invitation to discover this unique and remote part of France. The hamlet of Gruchy, incorporated in the town of Gréville, hangs from a cliff overlooking the English Channel. It was the birthplace of Jean-François Millet and was bombed by German forces in World War II. Almost everything was obliterated, except Millet's house, which has been turned into a museum. His statue would have been melted down, had it not been for the quick action of two Resistance fighters, who sawed off his bust and hid it. The village now attracts fans of Millet, as does a nearby village where you can visit the house of poet Jacques Prévert. Close by is the native town of Alexis de Tocqueville (author of Démocratie en Amérique *[1835–39]), and beyond, Utah Beach.*

**Je ne pensais pas que la terre puisse
faire autant de vagues**

I didn't think the ground could make so many waves

hameau hamlet

bout d'ongle tip of the nail

Cotentin province that juts out like finger into the English Channel

bordé d'écueils bordered by reefs

disputent aux tempêtes contend with storms

le droit d'exister for the right to exist

Je l'aperçus par la fenêtre I saw him through the window

trônant having pride of place

ont voulu récupérer wanted to melt down

habiles résistants clever Resistance fighters

découpèrent sawed off

à la hauteur des épaules at shoulder height

le soustraire hide it (from)

l'occupant ne put fondre que les bas morceaux the occupier could only melt down the low pieces

Il est tout entier à He's all wrapped up in

âtre hearth

épaules puissantes powerful shoulders

habillé à son ordinaire dressed as usual

complice du meurtre accomplice to the (imagined) murder (perhaps of an unborn child)

que vient d'accomplir sa lavandière that his washerwoman just carried out

adage qui veut que adage that says

toute création finit toujours every creation always ends up

par échapper à son auteur escaping its author

qu'il m'était impossible that it was impossible for me

frapper à sa vitre rap on his window

attirer to catch

Le **hameau** de Gruchy s'allumait de ses vingt-cinq feux, laissant s'enfoncer dans la nuit ce **bout d'ongle** du **Cotentin, bordé d'écueils** qui **disputent aux tempêtes le droit d'exister**. Je passai devant la maison de Millet. **Je l'aperçus par la fenêtre.** Il était là, dans une attitude méditative, semblable à sa statue **trônant** aujourd'hui devant l'église qu'il a si souvent peinte. Un bronze, que les Allemands **ont voulu récupérer** en 1943, mais que deux **habiles résistants découpèrent à la hauteur des épaules** pour **le soustraire** à l'ennemi ; du coup, **l'occupant ne put fondre que les bas morceaux.**

Mais tout ça, bien sûr, il ne le sait pas, Millet. **Il est tout entier à** sa peinture, c'est bien là son droit et son mérite.

Tournant le dos à la fenêtre, face à l'**âtre**, les **épaules puissantes, habillé à son ordinaire**, et bien qu'il soit impossible de voir son visage, tout son corps semble porter les secrets de son labeur, abandonné quelques heures plus tôt, quand la lumière naturelle n'est plus suffisante à l'étage pour continuer à peindre. Se sent-il **complice du meurtre que vient d'accomplir sa lavandière**, confirmant ainsi l'**adage qui veut que toute création finit toujours par échapper à son auteur** ?

Mais je savais bien **qu'il m'était impossible** de **frapper à sa vitre** pour **attirer** son attention…

chemin pentu steep path
carrefour intersection
empierré surrounded by stone
épaules rondes round shoulders
clocher court short bell tower
gland glans
se durcit grows hard
ciel déchiré torn sky
pluie soudaine sudden rain
La nuit était maintenant chose faite Now night had come
Le monde flottant The floating world
tenu par les pieds held by the feet

En sortant du village, au bout d'un **chemin pentu**, je voyais, dominant un **carrefour** sommairement **empierré**, l'église de Gréville[1], aux **épaules rondes**, au **clocher court**, dont le **gland se durcit** en vain vers le noir satin d'un **ciel déchiré**. Une **pluie soudaine** ferma tout horizon, installant le hameau dans l'éternité.

La nuit était maintenant chose faite. Le monde flottant de Hokusaï[2]. Mais **tenu par les pieds**.

---

1. Gréville, in la Manche, is a village that incorporates the hamlet of Gruchy, birthplace of Millet.

2. Katsushika Hokusai (1760–1849) is perhaps the Japanese painter best known to Westerners. While he may have been influenced by Western art brought by Europeans who settled in Japan, his work had a profound effect on many European painters, notably Gauguin and Van Gogh. His *Great Wave* can aptly be compared to the maritime conditions near Gruchy.

**J'y viens chaque jour, attendant comme
un animal familier que rien ne se passe**

I come there every day,
waiting like a household pet for nothing to happen

coutumiers customary
tamisent filter
Il ne m'est pas aisé de dire It's not easy for me to say
botteleurs de foin hay bundlers
n'a guère d'importance hardly matters
compagnes companions
gamin potelé chubby boy
pissant puissamment pissing powerfully
noyé drowned
poussière d'orge barley dust
couvert overcast
blés wheatfields
deviennent plus riches become richer
plaines de Barbizon plains of Barbizon
boule chaude warm ball
Je ronronne I purr

Les gestes **coutumiers** des paysans **tamisent** les heures. **Il ne m'est pas aisé de dire** combien de temps je peux rester là, devant ces **botteleurs de foin**. Le temps **n'a guère d'importance**. Le plaisir vient du rendez-vous. Leur présence est éternelle. Je viens à eux. La lessiveuse, les botteleurs et leurs **compagnes**, le **gamin potelé pissant puissamment** sur le pas de la porte, sa sœur si curieuse, sa mère si attentive à assumer cette Précaution Maternelle, le vanneur **noyé** dans sa **poussière d'orge**. Bien sûr que ces gens-là vivent. Mais comme je viens chaque jour à la même heure, je ne m'étonne point qu'ils accomplissent à cette même heure, chaque jour, les mêmes gestes. Ni commencement ni fin.

Je prolonge les couleurs de mon ciel sur leur tête. S'il fait gris sur Paris, le ciel est **couvert** à Gruchy. Si le soleil perce les toits du Louvre, les **blés deviennent plus riches** dans les **plaines de Barbizon**.

Chien ou chat, **boule chaude** posée là devant ces six toiles, tranquille. **Je ronronne** ma vigilance.

**En vrac ! Encore une fois !
Ils vont me rattrapper, ces cons !**

In a pack! Once again! They're going to catch me, those bastards !

la lessiveuse   J.F Millet   1855

fenaisons haymaking

buissons d'aubépine hawthorn bushes

m'avaient éloigné de la peur des loups had distanced me from the fear
   of wolves

laisser-aller sloppiness

course de côte hill climb

soit je prends à gauche either I go to the left

je vais me planquer I'm going to hide

marché aux puces flea market

qu'est-ce qu'ils foutaient là what the hell were they doing there

du mat' = *du matin*: in the morning

repenser aux to think back to

forçats de la serpillière galley slaves of the mop squad

Je détale I bolt

j'y suis, en cavale here I am, on the run

je me les tartine *in effect:* I get chased by

chiens de garde guard dogs

y a juste l'éclairage de secours there's only the emergency light

c'est du nanan it's a piece of cake

radiocommandées equipped with walkie-talkies

andouilles galonnées *in effect:* uniformed twits

crachoter sputtering

il monte sur running up toward

coincé-le corner him

162

L'odeur des **fenaisons**, du bois mort, ou les premiers **buissons d'aubépine, m'avaient éloigné de la peur des loups**. Y avait du **laisser-aller** dans mon uniforme de clandestin, je suis pas de l'époque des héros de la Résistance, moi… Le badge de François Larcin ? Où ? Peut-être resté sur le bord du lavabo… Le grand escalier ! J'ai toujours été bon à la **course de côte**. Je dois pouvoir leur échapper. Arrivé au premier étage, **soit je prends à gauche**, et **je vais me planquer** dans le **marché aux puces** de la Restauration, soit je…

Ils sont trop près ! Faut encore accélérer. Mais **qu'est-ce qu'ils foutaient là** ces deux cons à huit heures **du mat'** ?

« Vous êtes d'ABILIS ?

– A… BI… LIS… euh, non… »

Pas le réflexe de **repenser aux forçats de la serpillière** entrevus un jour dans les salles de l'art islamique.

« Vous avez un badge ? » « De quelle société ? »

Je détale. Et maintenant **j'y suis, en cavale** ! Bien sûr que dans les premiers méandres du Louvre médiéval **je me les tartine** les **chiens de garde**, de plus à cette heure **y a juste l'éclairage de secours, c'est du nanan**. Sauf qu'aujourd'hui elles sont **radiocommandées**, ces **andouilles galonnées** « security company ». Je les entends déjà **crachoter** dans leurs talkies-walkies : « Un type assez grand, **il monte sur** Denon, **coincez-le** vers l'Égypte, il a une serviette à la

puits well

vestige relic

Ascenseur de service Service elevator

maquette scale model

entresol mezzanine

porte-fenêtre donnant sur la terrasse French doors opening onto the terrace

L'angle mort The blind spot

corniche cornice

Ça cavale The chase is on

je me planque I hide

fausse porte fake door

panneau-souvenir du golfe de Gênes painting (c.1840) by Jean-Baptiste Corot

creux indentations

placard closet

Droit dessus Directly above (me)

Ingres leader for a while of the 19th-century classical school of French painting. See note at bottom of page 127.

au boulot at work

moissonneurs harvesters

j'empoigne les bords à pleines mains I grasp the edges (of the frame) firmly

bloque ma respiration hold my breath

je plonge I take a dive

main… » La serviette ? Hop, dans le **puits** de Philippe Auguste[1] !
Ça fera un **vestige** pour dans mille ans. **Ascenseur de service** juste
derrière la monumentale **maquette** du château de Charles X… Je
prendrai à l'**entresol** le grand escalier du premier étage…La donation
Rothschild[2]? Non, le bar Richelieu… et la **porte-fenêtre donnant sur
la terrasse. L'angle mort** sur la **corniche.** Ils iront pas me chercher
là. Ils me cherchent *dans*, pas *sur* le Louvre. Je prends de l'avance…
Ça cavale au premier !
Faut monter !
Le second !
À droite !
Si je passe Corot, **je me planque** dans la salle de bains de François-
Parfait Robert[3], une **fausse porte** au milieu du **panneau-souvenir du
golfe de Gênes**[4], avec cinquante centimètres de **creux.** Ils penseront
pas à me chercher dans ce **placard** !… Ensuite la fenêtre et puis
de nouveau la corniche et attendre… Bon Dieu, ça cavale du côté des
peintres du XVIIIe ! Ils doivent être chez Valenciennes[5], passent même
peut-être déjà devant **Ingres**…
MILLET ! !
Droit dessus !
Déjà **au boulot**, mes petits **moissonneurs** ! Toute la famille est là.
Ils m'attendent, dirait-on… Je choisis le cadre le plus grand, « Les
botteleurs », **j'empoigne les bords à pleines mains, bloque ma
respiration** et hop ! **je plonge.**

---

1. Philippe I, known as Philippe Auguste, king of France (1165–1223), built the
first castle on the site of today's Louvre. You can still see parts of it in the basement
of the museum.

2. Banker, art collector, horse breeder, and philanthropist Alphonse de Rothschild
gave generously to the Louvre collections between 1888 and 1904.

3. Corot decorated the bathroom of François-Parfait Robert in Mantes, near Paris.

4. *Panneau-souvenir du golfe de Gênes* is a painting by Jean-Baptiste Corot.

5. French painter Pierre-Henri de Valenciennes (1750–1819) is considered a
precurser of modern landscape painting.

EDITOR'S NOTE

At the end of the book we witness a moment of transfiguration. The title and its coarse language could well be translated as "my ass is grass," for this is precisely what the narrator is experiencing. Cornered on all sides by guards and dogs, he slips from the rooftop into the Millet room, into a twilight zone between the harsh world of the tracked criminal and the transfigured world of art. As he gropes his way through this amorphous space, trying to find a way out toward the Light, we realize that he has begun to hallucinate. He becomes a character in the world Millet created and experiences the sensation of being propelled back to his childhood, to his géniteur émotionnel.

The last words are telling: LA MER! LA MER! *When uttered, we marvel in their phonetic ambiguity: mother or sea? Both are obvious sources of life to him, as evidenced by the last words of the novel: "Maman! Maman! Pourquoi m'avez-vous abandonné ?" The transposed rhetorical question is similar to the one uttered by the dying Christ:* Eli, Eli, lema sabachthani? *Lord, Lord, why have you forsaken me? The* resquilleur *addresses this question to his mother in the surprising* vous *form.*

166

Je suis dans le noir le cul par terre

I'm in the dark (with) my ass on the ground

tiédeur moite   muggy warmth
paille   straw
Ça sent la vache   It smells of cows
Le sol est gras   The ground is clayey
Suinte   Sweating
paumes   palms
je déplace mon regard   I look around
je fouille   I rummage
Très à droite   Immediately to the right
se découpe   stands out
se morcelle   breaks up
verdâtre   greenish
Rails fantomatiques   Ghostly tracks
Ça sent l'étable   It smells like a stable
m'enhardit   emboldens me
Seul point de repère   Only point of reference
sol gluant   sticky ground
Étonnamment tiède   Astonishingly lukewarm
par brins épars   by scattered wisps of straw
planche   plank
À portée de main   Within reach
ourlet   *here:* rim
Je déplie mes jambes   I stretch out my legs
garde le dos courbé   stay hunched over
je me redresse   I stand up
cadré   framed
découpe   clearing
légèrement en retrait   holding back a little
prête à parer   ready to ward off
écartés   spread apart
bascule   falls over

Il fait chaud, une **tiédeur moite**. Je ne bouge pas. Une odeur forte…
humide et chaude… de la **paille** ?… du bois ?… de la terre ?… **Ça
sent la vache** aussi.

Le sol est gras. Suinte dans les **paumes** de mes mains. Même sensation
dans le dos. Je ne bouge toujours pas. Sans un mouvement de tête, **je
déplace mon regard**. Je lève les yeux. Pas de plafond. Un noir sans
fond. Autre direction : **je fouille** dans le brun devant moi. **Très à
droite se découpe** un quadrilatère. Mes yeux accrochent l'obscurité.
Le brun compact **se morcelle**. Apparaissent des bandes plus claires :
ocre, gris, **verdâtre. Rails fantomatiques**. Un rai de lumière perce le
mur d'en face. Le lieu de toutes ces ombres incertaines, c'est l'odeur.
Ça sent l'étable.

Cette conviction **m'enhardit**. Je me décide à bouger.

Seul point de repère : le contact de mes mains et de mes genoux sur
ce **sol gluant. Étonnamment tiède**. De la paille, **par brins épars**. Un
morceau de bois, une **planche** sans doute. Je progresse prudemment.
Je ne suis plus très loin de la pâle source lumineuse. Toujours à genoux.
À portée de main de cet **ourlet** de lumière. Je m'arrête. Me relève
lentement. Une pause. **Je déplie mes jambes, garde le dos courbé.**
Une autre pause. Enfin **je me redresse**. Regard **cadré** en plein centre
de cette **découpe** lumineuse. Je tends une main. Approche l'autre,
mais **légèrement en retrait, prête à parer** au moindre danger. Du
bois. Je pousse, les doigts bien **écartés**. Ma main **bascule** sur la

trou carré square hole
Tout m'aspire Everything sucks me in
déchirent tear at
grondement rumble
étouffé stifled
orage storm
volet shutter

je longe I walk along
paroi wall
Je palpe I feel
jambage de pierre stone jamb
cheminée mantle
creux hollow
poignée métallique metal handle
Bras tendus Arms stretched out
cerner to ascertain
grincement creaking noise
faisceau beam
lueur bleutée bluish gleam
délimite *here:* outlines
portail imposant imposing portal

grange barn
poutres beams
tas de paille pile of straw
suintant le fumier oozing manure
noir lisier black mix of urine and manure used for fertilizer
outils tools
s'avèrent être prove to be
montants d'une échelle rustique steps on a rustic ladder
guingois askew
repère marker
Respire fort Breathe deeply
heurte collides with
fumier manure
bout d'un fil end of a thread
Je ne le lâcherai pas I will not let go of it
l'entrebâille open it halfway
faite de blocs made of blocks
empreintes stamped

droite. Le rai de lumière s'élargit. Fenêtre réduite à sa plus primitive définition : un **trou carré**. **Tout m'aspire** au-delà de cette ouverture. Mes doigts **déchirent** un air beaucoup plus frais. Immobile, j'écoute. Un **grondement** lointain… **étouffé**… Une troupe ?… Un **orage** ?… Du vent aussi. Et la peur d'ouvrir plus grand le **volet**.

Quittant la fenêtre, **je longe** une **paroi** de terre humide sur ma gauche.
Quelques pas… De la pierre ! **Je palpe** rapidement autour de moi. Un **jambage de pierre**… Une **cheminée** ? J'accélère mon investigation.
Un **creux**
Du bois encore
Une **poignée métallique**
Une porte
Grande.
Bras tendus, je n'arrive pas à en **cerner** les contours. Je pousse de tout mon poids. Un **grincement**. Le **faisceau** de lumière qui m'indiquait la fenêtre laisse à présent passer une **lueur bleutée** et **délimite** un **portail imposant**.

Une **grang**e.
Haute de plafond, aux **poutres** incertaines. Un énorme **tas de paille**, **suintant le fumier**, envahit l'espace. Quelques éclats de lumière, étoiles sur ce **noir lisier**. Vagues silhouettes **d'outils**. Les rails ocre brun de tout à l'heure **s'avèrent être** les **montants d'une échelle rustique**, appuyée de **guingois** sur le mur opposé. Prenant cette échelle comme **repère**, je peux situer l'endroit où j'étais assis. Je refais mentalement mon parcours. **Respire fort**. L'air vif venant du dehors **heurte** la lourde odeur du **fumier**.

Je tiens le **bout d'un fil. Je ne le lâcherai pas.**

Je me relève, me dirige vers le grand portail, **l'entrebâille** et me glisse à l'extérieur.
Lune bleue, lune noire.
Lune **faite de blocs**. Noires **empreintes** d'arbres puissants, mêlées à

Ombres grossières Rough shadows
fond nuit night background
bousculés knocked around
nuages épais thick clouds
entrouvert half-open
sillon noir black furrow
goulet sentinel
encadré d'ormes gnomes framed by dwarf elms
cauchemars nightmares
virage turn
flotte drift
courbe curve
pente slope
se visse gets drilled (like a screw)
se noient drown
tangue gluante slimy sand
Je balbutie I stagger
gueule mouth
me déchire les oreilles tears at my ears
Je titube I totter
Relève Raise
maculée de sable mouillé spattered with wet sand
me rendre surrendering
Pourquoi m'avez vous abandonné ? Why did you abandon me?

d'autres formes, plus basses celles-là, et qui ne bougent pas. **Ombres grossières** de maisons découpées de façon primitive sur **fond nuit**. Un ciel, une nuit **bousculés** par des **nuages épais** et larges.

Lune où il y a du vent aussi. Un vent qui remonte de là-bas sur ma droite, d'où surgit le grondement déjà perçu tout à l'heure par le volet **entrouvert**. Une lune avec un **sillon noir** qui descend et que j'emprunte. Un **goulet encadré d'ormes gnomes**, courtes sentinelles. Lune de **cauchemars** d'enfance, et moi n'ayant pas de mains à qui me retenir, je descends, descends… J'ai dix ans au premier **virage**, cinq au suivant, ensuite je **flotte** sans âge. Une autre **courbe**. La **pente se visse** dans le noir. Et mes pieds **se noient** dans cette **tangue gluante**. Je vais être absorbé par les ténèbres qui m'entourent. Le grondement de tout à l'heure vient d'une bouche énorme que je devine là, juste après ce prochain virage. **Je balbutie** encore quelques pas, ferme les yeux.

Le vent, **gueule** ouverte, me **déchire les oreilles. Je titube.** Tombe dans cette noirceur tiède et molle. **Relève** ma tête **maculée de sable mouillé.** J'ouvre les yeux, dernier acte avant de **me rendre.**

LA MER ! LA MER !

Maman ! Maman ! **Pourquoi m'avez-vous abandonné ?**

carnet rose   pink notebook
agrémenté   decorated
oursons vert pistache   pistachio-green bear cubs
Passé le délai réglementaire   After the customary waiting period
le réclamer   to claim it
prière de le détruire   please destroy it

*Le gardien chargé de la surveillance des salles 64 à 73 de la Peinture Française a trouvé ce matin un petit **carnet rose agrémenté d'oursons vert pistache**, contenant quelques notes sans signification particulière. **Passé le délai réglementaire**, si personne ne vient **le réclamer, prière de le détruire**.*

Le Conservateur du Musée

LIN·'GUAL·I·TY

presents

Bernard Chenez

author of

Le Resquilleur du Louvre

in an interview conducted by
Gerald Honigsblum, PhD
May 2007

Studios Coppelia, Paris

Transcribed by
Gerald Honigsblum

accueillir welcome

soupçonné *here:* dreamed; *also:* suspected
édité published

étape stage
franchir to get through

parait seems

autre regard another way of looking (at it)

qu'on pourrait qualifier that one could describe as
tout d'un coup all of a sudden

témoignage expression, testimony
Vous m'aviez confié You had told me

tenants et des aboutissants ins and outs

j'ai noirci I blackened

Note: *The numbers in black circles on the opposite pages correspond to track numbers on the interview CD.*

❶ Madame, Monsieur, bonjour !

Aujourd'hui, j'ai le grand plaisir d'**accueillir** Bernard Chenez, auteur du *Resquilleur du Louvre*, publié aux éditions Héloïse d'Ormesson à Paris, et aux Éditions Linguality. Bernard Chenez, bonjour !

– Bonjour!

*– Est-ce qu vous aviez **soupçonné** que votre livre serait **édité** une seconde fois pour un public non français ?*

– Vous savez, je crois d'abord pour un auteur la première vraie surprise c'est d'être édité, déjà dans sa langue, parce que c'est la première **étape** et la plus difficile à **franchir**. Ensuite, évidemment, on espère, je crois et j'espérais, comme tout auteur, être publié dans différentes langues, mais c'est un rêve qui **parait** réellement inaccessible, et c'est vraiment une profonde satisfaction que d'être traduit, que d'être au moins transcrit, parce que c'est une seconde vie pour le livre, c'est aussi un **autre regard** pour l'auteur que je suis, et c'est une façon de rendre un petit peu…d'aller un petit peu plus loin dans son œuvre, c'est-à-dire que ce qui paraissait très franco-français devient tout d'un coup un langage **qu'on pourrait qualifier** d'universel, et **tout d'un coup** on a l'impression que la musique qu'on a essayé de donner dans son livre peut être entendue par d'autres gens, par d'autres pays, et ça nous donne une sorte de responsabilité qui est en même temps assez…assez plaisante.

❷ *– Oui, c'est un très beau **témoignage**. Merci. **Vous m'aviez confié** que le présent volume était la distillation d'un ouvrage beaucoup plus long, un ouvrage de 700 pages ? Parlez-nous des **tenants et des aboutissants** de ce projet.*

– Alors, en fait, **j'ai** effectivement **noirci** 700 pages de papier, mais je peux pas parler d'un ouvrage de 700 pages, je dirais que j'ai plutôt fait sept fois un ouvrage de cent pages. C'est-à-dire que j'écris de façon très spontanée des choses très brèves, et par contre

je reprends I go back over it
dégraisser to streamline/edit

propos comment

on fait bouillir you boil

à premier abord at first sight

soutenue *here:* extensive

dessinateur illustrator

raccourci shortened
entraîner lead to
faire entrechoquer des mots to make words clatter

vie quotidienne daily life
je me sente à l'aise I feel at ease

hors d'atteinte out of reach

180

je reprends, je reprends, je reprends de manière à **dégraisser** mon texte. C'est-à-dire que j'essaie toujours d'aller à l'essentiel dans ce que j'écris, et donc je peux très bien reprendre un **propos** ou une phrase de manière à la réduire, c'est un peu comme dans la cuisine, vous savez, on fait ce qu'on appelle une réduction, **on fait bouillir** les choses très longtemps, et voilà la façon dont je procède.

3 *— Ah bon… Il faut dire que votre style est très spécifique et, **à premier abord**, difficile, je dirais même pour un lecteur franco-français. Ce qui a d'ailleurs occasionné de notre part une annotation plus **soutenue**. Comment définissez-vous votre style, car vous devez continuer à écrire, n'est-ce pas ?*

— Oui, bien sûr, j'écris tous les jours, mais je cherche pas à définir un style, je crois simplement que je travaille sur la respiration, sur la musique, et peut-être que cela vient de mon métier de **dessinateur**, mais encore une fois j'essaie d'aller à l'image la plus concise…donc de trouver les mots qui vont être le plus explicite sur un plan poétique, et le plus **raccourci** possible, et c'est…voilà ce qui peut **entraîner**, je dirais, un langage poétique, c'est essayer de **faire entrechoquer des mots** qui, à priori, n'ont pas forcément de logique grammaticale ensemble, et d'arriver à une musique cohérente.

4 *— Nous reviendrons sur votre poésie, en fait, dans un petit moment, mais je passe peut-être au Louvre. Qui ne connaît pas Le Louvre, le plus grand musée du monde, c'est-à-dire un musée qu'on n'arrive jamais à connaître ? Or, votre relation avec Le Louvre est assez spéciale ? Dites-nous un mot sur cette relation.*

— Ce n'est pas une relation d'un homme à un musée, c'est une relation entre un homme et un lieu de vie. C'est-à-dire que je trouve très peu d'endroits dans ma **vie quotidienne** où **je me sente à l'aise**, et les musées en général, et le Louvre en particulier, pour moi, représentent la synthèse d'un endroit où je peux être au calme et tranquille, c'est-à-dire tout d'un coup, je me sens hors d'atteinte de l'agressivité, **hors d'atteinte** de, j'allais dire, de la vie, en fait, et, c'est un petit peu comme j'allais…si je me construisais un tombeau tous

quasiment practically

j'ai donc songé I then thought

interpellé interrogated
perturbation disturbance
médiatisée publicized in the media

Français de souche born and bred Frenchman

a priori on the face of it

tricher to cheat

détourner to divert
échapper à to escape from
franchir le temps to get through the time

consigne instruction

sans bousculade without jostling

les jours, bon parce qu'il fut un temps où j'allais au Louvre **quasiment** tous les jours, et c'est une sorte de chapelle, en fait, de lieu où je peux aller, je dirais, mourir tous les jours. Voilà ma relation avec ce musée.

⑤ *— Justement, ce mot « resquilleur » est un terme particulier. J'ai cherché en anglais, pas d'équivalent exact, **j'ai donc songé** au verbe, resquiller, et j'ai conclu :* Cutting in line at the Louvre. *Ce mot bizarre, tout récemment, on parlait à Paris du « Resquilleur de la Gare du Nord », il s'agit d'un jeune **interpellé** par la police pour avoir provoqué une **perturbation** qui a été **médiatisée**. Or, votre resquilleur ne gêne personne, c'est un homme imbu de culture, du sens de l'histoire, un **Français de souche**, en plus. Comment avez-vous choisi ce titre ?*

— Parce que le…au départ, il est obligé de rentrer par infraction dans le Louvre, puisqu'il va s'installer dans le Louvre et y vivre. Il lui faut trouver….il n'a **à priori** pas ou peu d'argent, il lui faut trouver les moyens de rentrer par infraction, donc sa première obligation est de resquiller, c'est-à-dire de **tricher** pour pouvoir rentrer gratuitement dans ce musée, et surtout s'y installer, c'est interdit, voilà l'origine du mot resquilleur. Mais, de façon plus large, en fait, et le sens profond que je donne à ce mot dans ce livre, c'est en fait un resquilleur de la vie, c'est-à-dire, c'est quelqu'un qui va **détourner** la vie, qui va **échapper à** la vie, et qui va essayer finalement de trouver une autre façon de **franchir le temps** qui lui reste à vivre. Et c'est en ça où il est plus resquilleur que resquilleur du Louvre.

⑥ *— D'accord…Sur la couverture, d'ailleurs, de l'édition française, je lis une petite **consigne** :* Suivez le guide ! Le paradis est sans domicile fixe. *Je vous ai suivi, Bernard, enfin, j'ai suivi votre protagoniste, François Larcin, pour le nommer si je puis, et j'ai découvert un Louvre que je ne connaissais guère, **sans bousculade**, sans payer moi non plus le droit d'entrée. Est-ce en fait votre consigne, celle de votre éditeur, celle de votre narrateur ?*

— Non, le….c'est vrai que la petite phrase qui se situe sur la couverture du livre est de mon éditeur. C'est une sorte de petit rappel, de petit résumé pour dire, pour inciter du moins le lecteur à entrer

183

à travers through

conservateurs curators
comportements attitudes
pas très catholiques rather unorthodox
retombées fallout
en provenance de from
hauts lieux high echelons

méfiance wariness

avis opinion

bienveillant benevolent

complicité affection

avouer admit

dans le livre, mais ce qui me parait surtout important, c'est…d'essayer **à travers** ce personnage à voir et à vivre à l'intérieur d'un musée.

7 — *Justement, je me demande, qelle fut la réaction des* **conservateurs** *du Louvre, suite à votre livre ? Ne risquiez-vous pas d'être accusé d'inciter des* **comportements**, *je dirais,* **pas très catholiques**. *Bref, avez-vous eu des* **retombées en provenance de** *ces* **hauts lieux** *de la Culture ?*

— Alors, d'abord vous savez, ce qui caractérise les hauts lieux de la culture, c'est leur silence. C'est-à-dire que…quand vous leur adressez votre livre, la chose qu'ils font c'est de ne pas vous répondre, parce que la culture leur parait…être un lieu et une chose qui leur est réservée, donc généralement il y a une sorte de grande **méfiance** vis-à-vis des gens qui s'intéressent à ce pour quoi, eux, ils…ils se sont engagés, ils sont payés. Mais j'ai eu toutefois, un très bon contact et un **avis** très intéressant de Pierre Rosenberg, qui était le premier… patron du Louvre, qui avait été nommé par François Mitterrand, président de la République, et Pierre Rosenberg a eu, je dirais, un regard **bienveillant** sur mon travail, et un regard amusé, parce que je crois que si quelqu'un connaissait le musée mieux que moi, c'était bien lui. Et j'ai eu un grand plaisir à le rencontrer et j'ai eu une vraie **complicité** avec Pierre Rosenberg.

8 — *Et bien c'est un très beau témoignage, je dirais, et justement, juste au-dessus de cette consigne incitative, il y a, sans surprise, le mot ROMAN. Je soupçonne, personnellement, une biographie, voire une autobiographie, Bernard, ou encore un poème en prose. Qu'est-ce que vous en dites ?*

— Vous savez, moi, quand j'écris, je cherche pas à qualifier ce que je fais, je veux dire…il appartient aux éditeurs et surtout aux lecteurs de définir finalement ce que peut être mon travail…mon engagement et mon obsession est de faire les choses, quoi… qu'importe finalement le sous-titre qu'on leur mettra…..Je dois vous **avouer** aimer bien l'expression poème en prose, je crois qu'effectivement ça correspond, s'il faut identifier mon travail, c'est ce qui correspond sans doute le plus à ma façon de travailler, à ce que je rends par l'écriture.

185

polémique debate
vive lively

surface (exhibition) space
chose appréciable good thing
Angkor Angkor Wat is a massive 12th-century temple in the jungles of
Cambodia. In 1992, it was made a World Heritage Site.
ravi delighted
en profiter to enjoy it
se déplacent move around

secret de polichinelle open secret
gérés managed
est à prendre en compte has to be taken into account
mise en place location
Abu-Dabi In March 2007, the French ministry of Culture announced
that a deal had been finalized for "Louvre Abu Dhabi," a 24,000-
square-meter "branch" of the museum to be built on the emirate's
Saadiyat Island. The emirate paid a €700 million licensing fee, €400
million of which was for the rights to the Louvre brand.
s'en cacher make a secret of it
Lens Construction of a Louvre satellite museum in this northern French
town (Pas-de-Calais) is due to be complete in 2010.
Il s'agit (de) It's a matter of
Bilbao Architect Frank Gehry's radically contoured Guggenheim
Museum has become the signature landmark in Bilbao, the largest
city in Spain's Basque country.
gêne bother
décloisonnons let's open up

en soi intéressante interesting in itself

9 *— Vous parliez de vos lecteurs, nos chers auditeurs, vos lecteurs ont sans doute entendu parler des récentes politiques qui amènent Le Louvre, bastion de la culture française, à s'implanter sur d'autres sites, tant en France qu'à l'étranger. La **polémique** reste **vive**. Quel est votre sentiment sur ce sujet ?*

— Je crois, par principe, il est bon que la culture sorte de ses murs. Donc, moi j'approuve à priori que les musées français, puisqu'en l'occurrence il s'agit de la France, je dirais, s'exportent et s'expatrient, je trouve ça très bien. D'autant plus que les œuvres sont extrêmement nombreuses, qu'aucun musée n'a la **surface** pour pouvoir exposer la totalité de ses œuvres, donc qu'une partie de ses œuvres tourne et voyage et…me parait une **chose appréciable**. Quand il y a à Paris une exposition des trésors d'**Angkor**, je suis le premier à être **ravi** de pouvoir **en profiter**. Donc que les œuvres du Louvre **se déplacent**, c'est évidemment pour une très bonne chose. Alors ensuite il y a les vraies raisons du déplacement qui peuvent être plus ou moins nobles, dont une, et c'est un **secret de polichinelle**, consiste à faire de l'argent, parce que les musées maintenant sont **gérés** d'une façon, j'allais dire, commerciale. Donc cette partie-là **est à prendre en compte,** et notamment la **mise en place** du musée qui, je crois, sera à **Abu-Dabi**, du Louvre, à des….il ne faut pas **s'en cacher**, à des visions purement mercantiles, mais c'est aux gens qui ont la responsabilité de faire voyager ces œuvres de savoir jusqu'où on peut aller dans la commercialisation des œuvres, mais à côté de ça on parlera peut-être plus tard, une partie du Louvre va aller à **Lens**, en France, et là, la question mercantile ne se pose pas. **Il s'agit d**'une diffusion culturelle. Et par principe je trouve, regardez ce qu'a fait Guggenheim, je suis allé récemment à **Bilbao**, j'apprécie, moi, qu'il y ait, comme ça, des Musées Guggenheim dans plusieurs points du globe, ça ne me **gêne** pas, au contraire, **décloisonnons** l'art et puis après, à chacun et à chaque pays et à chaque citoyen d'être vigilant pour que ce décloisonnement corresponde pas à une sorte de grande… de grande foire de l'art. C'est…mais le principe du décloisonnement parait une chose **en soi intéressante**.

cavales *here:* escapades

J'avale... escaliers mécaniques I run up... escalators

me retrouve nez à nez find myself face to face

Sénèque Seneca, the Roman statesman, dramatist, and philosopher. The emperor Nero commanded him to commit suicide. The reference here is to a famous painting, *La Mort de Sénèque*, by Claude Vignon (1593–1670).

figés dans son propre sang frozen in his own blood

barboter *here:* splashing around

on ne me fera pas aux pattes I won't be caught dead; *literally:* won't get my (own) feet caught

Je saurai me rendre invisible I will know how to make myself invisible

adhérer à un quelconque complot to join some plot

réseau de résistance resistance network

marchands d'aujourd'hui today's merchants

abri d'âme shelter for the soul

affamé starved

fuir to flee

soif thirst

brièveté shortness

surprenante surprising

à la Baudelaire The reference here is to Charles Baudelaire's famous poem "L'Invitation au voyage": "... Là, tout n'est qu'ordre et beauté, Luxe, calme et volupté."

*– Tout à fait. Entrons dans votre texte, Bernard. J'aime beaucoup suivre votre héros dans ses **cavales**, c'est lui qui prend tous les risques, par exemple à la page 16 de l'édition française, je cite :*

« **J'avale** trois petits **escaliers méchaniques** et **me retrouve nez à nez** avec **Sénèque**, les pieds **figés dans son propre sang.** Voir ce vieux philosophe **barboter** dans son suicide est un message bien clair. Mais moi, **on ne me fera pas aux pattes! Je saurai me rendre invisible.** Je ne viens pas ici **adhérer à un quelconque complot,** activer un **réseau de résistance** opposé à l'art d'hier ou aux **marchands d'aujourd'hui.** Je viens seul. Je cherche un **abri d'âme.** C'est tout. »

*« J'avale, » vous dites, « je cherche un abri d'âme. » Vous utilisez souvent les images d'un homme, justement, **affamé**, je suppose que François Larcin, pour le nommer encore une fois, a faim, mais de quoi, cherche-t-il uniquement un abri d'âme ou encore autre chose ?*

– Non, je crois qu'il cherche à **fuir** d'abord, et il fuit le monde, je dirais, de la réalité, la société dans laquelle il est, et le musée lui apparaît—parce que dans un premier temps, ça peut lui apparaître comme un lieu mort—donc, un endroit où il va pouvoir se réfugier, c'est un refuge qu'il cherche effectivement, donc c'est un abri d'âme, et en même temps il a une **soif** de découvrir ce qu'ont pu faire les artistes de différentes périodes, et….il y a une chose qui le fascine, c'est l'éternité des œuvres d'art. Justement, en opposition à la brièveté de la vie, et pour fuir cette **brièveté** de la vie, il va chercher l'éternité dans un musée, s'il a soif de quelque chose c'est d'éternité et de fuir la peur de la mort, en fait.

*– Oui, oui, d'accord. Je disais justement que votre texte est un poème en prose. Il prend parfois même l'allure d'un poème d'une certaine structure **surprenante**. À la page 28 de l'édition française, vous nous invitez au voyage, **à la Baudelaire**, un voyage en MER ….avec un vers unique pour commencer (j'étais heureux dans la contemplation) et un vers unique pour finir (j'affrétais des jeudis sans escale), et entre les deux quatre tercets de longueur égale. Que représente pour vous, justement,*

189

récit story
vous intitulez you title
entre guillemets in quotes

de façon...imagée in...a colorful way

Monsieur Jourdain One of the funniest lines in Molière's *Le Bourgeois Gentilhomme* is Monsieur Jourdain's famous quip, "For forty years, I've been speaking prose, and didn't know it."
que je fasse that I create/make. Because it's "possible," but not certain, M. Chenez uses the subjunctive.

taille height

butinaient picked up (usually said of a bee gathering nectar)
au bal d'un prochain dimanche at the dance on an upcoming Sunday
tout ce qui composait all those who made up
progéniture offspring
des fonds de commerce of the businesses
prospère prosperous
d'après-guerre postwar

*la mer dans votre vie, dans votre **récit**, et dans ce chapitre que **vous intitulez** d'ailleurs, intitulé **entre guillemets,** « Je parcours les quais d'un océan de pierre »?*

– Oui, bon, d'abord la mer est un élément, je dirais, naturel pour moi, puisque je suis né au bord de la mer, et la petite chambre où je suis né, dans une petite villa, donnait directement sur la mer. Alors, je ne sais pas si l'influence est à ce point profond....oui, c'est un élément qui pour moi fait intrinsèquement partie des choses essentielles de la vie, et c'est vrai que **de façon,** je dirais, **imagée,** le langage de la mer est pour moi quelque chose de naturel. Et puis maintenant pour ce qui est de la construction poétique, je dirais que c'est un peu comme **Monsieur Jourdain**, vous savez, de Molière, qui faisait de la prose sans le savoir, il est possible **que je fasse** de la poésie sans le savoir, également.

⑫ *– Merci. Vous êtes également un évocateur très fin, des œuvres d'art au Louvre, et de vos souvenirs, je suppose. Dans la partie suivante, le chapitre suivant et en l'occurrence à la page 40-41, vous êtes positionné, justement puisque vous regardez de l'intérieur vers l'extérieur, vous êtes positionné sur votre balcon, au troisième étage, c'est-à-dire votre **taille**, de trois étages, puisque c'est le regard du haut qui mesure votre taille, et vous dites:*

«Je regardais les filles passer et repasser sous mon balcon. Allant d'un bout à l'autre de la Grande Rue, elles **butinaient** les stratégies les plus secrètes pour séduire, **au bal d'un prochain dimanche, tout ce qui composait** la **progéniture des fonds de commerce** d'une France **prospère d'après-guerre.** »

Situez-nous, où sommes-nous, et qu'est-ce que c'était que cette France prospère d'après-guerre ?

– Et bien, c'était la mienne, en fait. Y a toujours, vous savez, une part autobiographique dans un roman. Et je suis, moi, issu directement de cette France d'après-guerre, de cette génération, et

191

tombeau tomb, resting place

branche louis-philipparde the Louis-Philippe branch, *i.e.*, the Orléans
  dynasty

ils n'étaient pas repartis they hadn't left

frigos refrigerators

allaient amener were going to bring about

Mai '68 the name given to the political and social upheaval that gripped
  France in the summer of 1968. The unrest started with a student
  strike in Paris. The situation quickly degenerated into a nationwide
  general strike, paralyzing parts of the country and causing the
  government to collapse.

enterrement burial

tableau painting

un sacré numéro

contestataire protester

chaudronnier boilermaker

c'est une période qui est assez autobiographique dans le livre, où le personnage se met à repenser à ce qui a été sa jeunesse. C'est vrai que je viens, moi, d'une....j'ai vécu très longtemps au moins dans une petite de province qui s'appelle Dreux, et qui était...et qui est le **tombeau** des rois de France, enfin du moins de la **branche louis-philipparde**. Et nous habitions un immeuble en centre-ville, au troisième étage, et je passais mon temps à regarder cette rue qui était en-dessous de notre appartement. Et, évidemment, de part de mon âge, et de mes centres d'intérêt, je m'intéressais beaucoup aux jeunes filles qui passaient dans cette rue. Et cette France d'après-guerre, c'est en fait cette France des années cinquante-soixante, qui rêve d'Amérique, parce que finalement c'est les grandes années pour la France du rêve américain. [Il] faut savoir aussi que dans la ville où j'étais, il y avait encore une base américaine, puisque les Américains étaient arrivés, on s'en souvient, en 44, **ils n'étaient pas repartis**, en fait. Et donc, arrivait pour cette génération tout ce mythe du progrès et de la modernité qui venait des États-Unis. C'est James Dean, c'est les voitures, c'est les **frigos**, c'est le chewing-gum. C'est-à-dire que c'est tout d'un coup une espérance énorme et dans un pays qui vivait encore de façon très proche d'avant-guerre, c'est-à-dire les papas avaient encore des bérets, il y avait encore des vaches pas loin du centre-ville, on était....il y avait là...deux images, deux modes de vie qui se confrontaient l'une à l'autre et qui **allaient amener** d'ailleurs, quoi, dix ans après, le fameux **Mai '68**.

13   *— Et oui, et juste après, Bernard, vous observez également un* **enterrement**. *Et puis, vous nous prenez par la main devant le* **tableau** *de Courbet,* Un Enterrement à Ornans. *Qui d'ailleurs est conservé au Musée d'Orsay. Gustave Courbet était quand même un* **sacré numéro**, *un militant, un* **contestataire**, *un révolutionnaire. Vous vous prenez pour un Courbet quelque part ?*

— Non, non, je me prends pas pour Courbet, mais j'ai une grande admiration pour ce peintre, c'est une évidence. Mais, révolutionnaire, le mot ne me gêne pas. Il pourrait paraître prétentieux aujourd'hui de l'utiliser. Mais, vous savez, moi je....mon premier métier c'est **chaudronnier**, et je travaillais en usine, j'ai travaillé en usine jusqu'à

193

racines roots

la Commune Paris insurrection that followed France's defeat in the
Franco-Prussian War. For two months in the spring of 1871, an
anarchist government ruled Paris. It was eventually put down by
government troops.

encadreur rhénan picture framer from the Rhineland
étalagiste window dresser
voix du sang mystical affinity
ne mène à rien doesn't lead to anything

en retrait in retreat

il est sans suite nothing comes of it

rondelles [round] slices

mai 68, justement. Donc je crois effectivement avoir, je dirais, une conscience sociale qui peut trouver ses **racines**, effectivement, dans ces gens qui se sont engagés dans une période qui était la **Commune** en France. Mais l'engagement de Courbet, non, c'est pas le mien, mais j'ai beaucoup de sympathie pour ce qui a été l'engagement de Courbet, oui.

14 — *Votre protagoniste est bien seul dans sa cavale. Or, il rencontre quelqu'un, une Allemande, avec qui il partage un moment d'intimité. On veut croire à un début d'aventure amoureuse. Ca ne dure pas longtemps. Mais on apprend que c'est la fille d'un **encadreur rhénan** vous dites…. alors que le père du resquilleur était un **étalagiste**. Expliquez-nous comment vous avez trouvé **cette voix du sang**, qui d'ailleurs **ne mène à rien** ?*

— Oui….il pouvait pas ne pas rencontrer quelqu'un, quand même il y a des milliers, des millions de visiteurs au Louvre, et bien qu'il se déplace, lui, principalement, la nuit ou à des heures où les visiteurs, je dirais, ordinaires, sont…ne sont pas présents, j'ai voulu qu'il y ait cette rencontre et cette rencontre a lieu dans la cafeteria du Louvre, dans une des cafeteria du Louvre, et effectivement il se passe rien parce que, parce qu'il peut rien se passer, parce que, lui, il est ici en, je dirais, **en retrait** de la vie, donc il va pas s'engager avec cette jeune femme qui…sûrement que la relation aurait été possible, mais il va la refuser puisqu'il est pas là pour ça, en fait, quoi. Quant à l'encadreur rhénan, vous savez, les Français ont eu, de part leur histoire, énormément de relations avec les Allemands, évidemment, et c'est un euphémisme. L'Allemagne a toujours été jusqu'à peu considérée comme l'ennemi, en fait, et ma génération fait partie de ces gens où finalement, nous, on n'a rien à reprocher aux Allemands. Et il est important de voir que si l'Europe est forte aujourd'hui c'est par les relations franco-allemandes au départ. Et je voulais qu'il y ait ce signe de deux personnes qui, n'ayant pas d'histoire commune, puissent avoir un lien même s'**il est sans suite**, mais un lien autre que celui du conflit. Et finalement, la seule relation, je dirais, affective, même si elle consiste à échanger quelques **rondelles** de saucisson et une assiette de céleri, que ça puisse être avec une Allemande me paraissait être un signe d'espoir.

géniteur émotionnel emotional progenitor
si je ne me trompe if I'm not mistaken

Botteleurs de foin *The Hay Binders* (1850)
La Lessiveuse *The Washerwoman* (1853–54)
Un Vanneur *A Winnower* (one who separates chaff from grain, 1848?)

vous entamez you start

aux fins fonds to the nether reaches

qu'on peut qualifier that one can describe

besogneux the poor, the needy

enlever remove
côté aspect

196

⑮ *— Nous découvrons tant de peintres dans votre livre, Bernard, certains pour la première fois. Or, vous dites solennellement à la page 100 de l'édition française, Mon **géniteur émotionnel**, c'est Jean-François Millet. Alors expliquez-nous, car tout d'abord il n'y a pas de tableau de Jean-François Millet au Louvre, **si je ne me trompe**.*

Et bien, vous vous trompez, vous vous trompez parce que le Louvre se termine, enfin, la période qui est la période la plus moderne pour le Louvre, je crois, c'est 1873 ou 75, et c'est un tableau de Corot, et les premiers tableaux de Jean-François Millet sont au Louvre, notamment ceux qui ont ma préférence, je pense au **Botteleurs de Foin,** je pense à **La Lessiveuse**, au **Vanneur**, et ceux qui parlent de Gruchy, dont on aura peut-être l'occasion de parler de cette région de Normandie que je connais bien, ces tableaux-là sont au Louvre.

⑯ *— Ah, bien, et plus loin **vous entamez** un chapitre en disant, Je ne pensais pas que la terre puisse faire autant de vagues. Toujours cette thématique maritime. Je me souviens que Gauguin, grand voyageur **aux fins fonds** du Pacifique, avait dit « Peut-on faire mieux que Millet ? » Comment répondez-vous à cette question ?*

— D'abord j'acquiesce, je suis d'accord avec Gauguin, mais il y a une réponse anecdotique, mais on peut faire mieux que Millet, c'est celui qui va le suivre, et qui s'appeler Honoré Daumier, et sa peinture, à mon avis, va prendre ce que Millet avait parfaitement bien traduit, qui était peindre les travailleurs, peindre les petites gens. Vous savez que, Millet qui était pourtant un personnage qu'**on peut qualifier** de réactionnaire, puisqu'il était de la même époque que Courbet, et opposé à Courbet pour ce qui était de son engagement dans la Commune, était à son époque considéré comme un peintre dit socialiste parce qu'il peignait justement les travailleurs et il les peignait dans leur travail, c'est-à-dire qu'il les peignait pas dans la noblesse de leur art mais dans la difficulté de travailler, et donc Daumier va reprendre ça et va peindre lui aussi les petites gens, les **besogneux**, et je pense que ce sont, pour moi deux peintres que je qualifierais de peintres modernes, c'est-à-dire qu'ils vont **enlever** à la peinture sa version, je dirais, officielle et royale pour lui donner un **côté** réellement social et peindre, en fait, le travail, quoi.

197

immense chance great good fortune

Vous nous rejoignez You join us

actuellement presently

ferronnier ironworker

métier manuel manual labor

carnet de croquis sketchbook

École Boule highly regarded art school in the 12th arrondissement offering courses in industrial design, interior design, packaging, and other applied arts
je faisais I was studying
c'est la main qui voit it's the hand that sees
c'est l'œil qui dessine it's the eye that draws
aquarelles watercolors
cloisonnée compartmentalized
frontières borders

m'empêche prevents me
fredonner hum

mettre à vif to expose

⑰   *— Bernard Chenez, vous êtes un homme de multiples talents, vous êtes écrivain, peintre, dessinateur. Certains diront que vous êtes un avatar de Jean-François Millet qui lui aussi a écrit, peint, dessiné. Nous avons l'**immense chance** de présenter quelques-uns de vos dessins dans notre édition. Est-ce là votre premier métier, celui de dessinateur ? **Vous nous rejoignez** ce soir, si j'ai bien compris, directement d'un exercice de dessin ?*

— Oui, absolument, puisque je suis **actuellement** le dessinateur du journal *L'Équipe*, et c'est vrai que cela fait trente-cinq ans que je dessine dans la presse, et que je suis dessinateur de presse, mais mon premier métier était chaudronnier, et chaudronnier-**ferronnier**, et voilà pourquoi en fait au départ je m'intéresse pour tout ce qui est **métier manuel**, et finalement la sculpture, la peinture sont aussi et d'abord des métiers d'artisan. Mais pour en revenir aux dessins qui sont dans le livre, je me déplace quotidiennement avec un **carnet de croquis**, et en même temps que je prends des notes sur les choses que je vois, je fais des croquis, des petits dessins, et les dessins qui sont dans ce livre sont justement une partie de ces croquis que je fais quand je suis au Louvre, où je m'intéresse à une peinture, je m'intéresse bien souvent aux gens qui sont sur les lieux, je regarde…je m'intéresse à la façon dont ils regardent les choses, et c'est un façon pour moi, je dirais, de réfléchir avec les doigts, quoi… Vous savez, j'avais un professeur à l'**École Boule**, quand **je faisais** du dessin technique, qui me disait que **c'est la main qui voit et c'est l'œil qui dessine**, et c'est ma façon un peu de me déplacer notamment dans les musées, et voilà le résultat, vous l'avez dans ce livre, tous ces petits croquis, ces petites **aquarelles**, c'est une façon de, je dirais, de mettre en mémoire mon travail. Maintenant, pour ce qui est de l'écriture, pour ce qui est de la peinture, je travaille pas de façon **cloisonnée**, hein, je ne m'interdis rien, je mets pas de **frontières** ni de barrières à ma façon de travailler, et je peux passer d'une période, je dirais, d'une phrase à un dessin, d'un dessin à une aquarelle, revenir à une phrase. Hélas, je suis pas musicien, donc ça **m'empêche** de composer, mais je peux très bien **fredonner** en même temps que j'écris et que je dessine. Je crois qu'il est…c'est très important pour moi les interférences de sensibilités, et je ne vois pas personnellement de frontières entre les différents moyens d'expression. Et je crois qu'il est important pour **mettre à vif** sa sensibilité d'utiliser tous les moyens d'expression qui existent, quoi, et le dessin, la peinture, l'écriture

conciliez reconcile

stade stadium

en tenue de sport in sport clothes
mettre vos baskets to put on your athletic shoes
être bien dans vos baskets to be at ease with oneself

antenne branch
Atlanta The High Museum in Atlanta has negotiated a partnership
with the Louvre called "Louvre Atlanta" that runs through 2009.
Hundreds of works of art from the Louvre will be featured in exhibits
built around specific themes and periods. *www.louvreatlanta.org*

sont pour moi, je dirais, la même façon de vivre et de transmettre le message qu'on a à donner aux gens…de la vie.

18 — *Justement, puisque vous êtes le dessinateur attitré de* L'Équipe, *comment* **conciliez**-*vous ces deux mondes parfois si lointains l'un de l'autre, l'Art et le Sport ?*

— Et bien, je cherche pas à concilier les choses, moi, je les rencontre, et je….il n'y a pas de frontières naturelles, il y a que des frontières que les hommes et les sociétés créent, et donc j'essaie de vivre en homme libre, donc je dessine, je peins, j'écris, et les circonstances de la vie font que je suis dessinateur de presse et plus particulièrement dessinateur de presse sportive comme on le disait tout à l'heure. Mais, quand je suis dans un **stade**, je… finalement…si vous regardez un stade, vous êtes pas loin du même public que celui des musées. Vous avez à la fois les notables d'une ville, vous avez des jeunes, des vieux, des gens intellectuellement, je dirais, élitistes, vous avez des gens très populaires, vous avez des gens dits de droite, de gauche, tout ça, c'est le regard de la vie et de la société. Moi, je fais pas de différence dans les endroits où je suis.

19 — *D'accord…Avouez que François Larcin est un vrai sportif pour réussir son parcours du combattant. Vous êtes d'accord, Bernard, pour visiter le Louvre, il faut venir* **en tenue de sport** *et surtout* **mettre vos baskets**, *et puis* **être bien dans vos baskets**, *comme on dit.*

— Oui, faut surtout…faut surtout prendre le temps d'être soi-même et….je sais pas s'il faut être sportif…faut surtout prendre le temps de regarder les œuvres et les gens.

20 — *Auriez-vous, cher Bernard, un petit message pour vos nouveaux lecteurs, c'est le bon moment pour leur adresser la parole…..*

— Bien, écoutez, puisque dans un premier temps ce livre sera édité aux États-Unis, ils ont une façon de prolonger un petit peu le Louvre, sans parler du fait qu'il y a une **antenne** du Louvre maintenant à **Atlanta**, mais c'est d'aller à Boston, notamment, puisque j'ai moi-

201

amateurs fans

dédicacer to autograph

même fait…j'ai traversé l'Atlantique pour ça, parce qu'il y a à Boston les plus beaux pastels, je crois, de Jean-François Millet, parce que les Américains ont été les premiers **amateurs** de Jean-François Millet et notamment de travail de pastelliste qui absolument remarquable. Donc si j'ai un message à donner, c'est qu'une partie du Resquilleur est aussi dans les musées de Boston.

20 — Merci, Bernard Chenez, je vous prie de bien vouloir nous **dédicacer** votre livre, *Le Resquilleur du Louvre*. Et merci de votre écoute, Madame, Monsieur. Bonne lecture, et au prochain rendez-vous.

Au revoir.